金色《こんじき》の文字使《ワードマスター》い

—勇者四人に巻き込まれたユニークチート—

十本スイ

ファンタジア文庫

2172

口絵・本文イラスト　すまき俊悟

CONTENTS

プロローグ

パチパチパチと、たき火の音が、日も沈《しず》んで静かになった周囲に響《ひび》いている。

「おっと、あちちち、ほ〜ら、できたぞミュア」

「ありがと、おじさん」

男の名前はアノールドと言い、たき火で焼いていた魚を隣《となり》に座っているミュアという少女に手《て》渡《わた》している。

ミュアは魚を頬張《ほおば》り、少し熱かったのか、はふはふと息を吐《は》きながら食べる。

アノールドはもう一人の仲間のある人物をジト目で見つめ、溜《た》め息《いき》交じりに言う。

「おい、いつまで本読んでんだよヒイロ、早く食べねえと俺《おれ》が全部もらうぞ？」

木にもたれかかりながら丘村日色《おかむらひいろ》は本をパタッと閉じると、目を細めアノールドを睨《にら》む。

「そんなことをすれば……」

日色が人差し指を立ててアノールドに突《つ》きつけると、その先から青白い光がポワッと淡《あわ》く灯《とも》る。するとそれを見たアノールドは慌《あわ》てた様子で、

「じょ、冗談《じょうだん》だから指を向けんなって！」

体をサササッと後ろへ引く彼《かれ》を見て、日色は手を下ろした。ホッとした様子で息を吐くアノールドに対し、ミュアも苦笑《くしょう》している。

――――ガサガサ。

三人のアンテナがピクッと動いた。

「……何かいるな」

日色の言葉に二人がほぼ同時に頷《うなず》く。アノールドはミュアの背中に優《やさ》しく触《ふ》れると、

「ミュア、下がってろ」

「う、うん」

草陰《くさかげ》から、ドシドシと大きな音を立てて巨大《きょだい》な影《かげ》が現れた。

「コイツは確か……」

日色は月光を浴びて浮《う》かび上がってきた相手の姿をハッキリと確認《かくにん》した後、顎《あご》に手をやり思い出すように呟《つぶや》いた。続いてアノールドがニッと笑《え》みを浮かべて、

「へえ、懐《なつ》かしいじゃねえか。バーバラスベアだな。そういや、ヒイロと初めて会った時、一緒《いっしょ》に戦った相手がこのモンスターだったよな」

「そうだったか？」

相手は一匹《ぴき》だけでなく、もう一匹現れ合計二匹《ひき》と遭遇《そうぐう》することになった。

「よ～しヒイロ、後に出てきた奴《やつ》は任せたぞ」

アノールドは大剣《たいけん》を体の中心に構えながら、背後にいる日色に向かって声だけを飛ばす。

無論返って来る言葉はYESだと思っていたようだが、

「断る。オレは今腹が減ってるからな。それにそいつらならオッサンだけでも何とかなるだろ？」

「なっ！　お、お前なぁ！」

するとバーバラスベアの一匹が、アノールド目掛《めが》けて岩を投げつけてきた。

「おおうっ！」

すかさず避《よ》けると、「ふぅ」と大きく息を吐く。

「あ、危なかったぁ……」

「気を付けろよオッサン。はむ、もぐもぐ」

「って何食べてんのっ⁉　もうホント信じられねえんだけどお前ぇ！」

日色は戦闘《せんとう》には我関《われかん》さずといった感じで焼き魚を口にしていた。そんなマイペースな日色に対し、アノールドは愕然《がくぜん》とした思いで固まっている。そんな彼をチラリと見た日色は、

「ん？　何だ終わったのか？」

「終わってねえよ！　手伝えよなっ！」

「おじさん！　後ろぉ！」

「え？　おおっとっとぉっ⁉」

またもバーバラスベアが岩を投げつけてきたが、ミュアの掛《か》け声《ごえ》のお蔭《かげ》で、アノールドは何とか無事に避けることができた。そしてビシッと日色に対して指を差すと、

「いいかヒイロ！　そもそもその魚は俺が獲《と》ってきたやつなんだぞ！　食べたかったら戦え！　それにあの時は言い忘れてたが、バーバラスベアの肉もなかなか美味《うめ》えんだぞ！」

するとピタリと動きを止めた日色は、静かに立ち上がるとアノールドの傍《そば》まで来る。

「それを早く言え。美味《うま》い肉なら大歓迎《だいかんげい》だ」

どことなく瞳《ひとみ》がキラキラしている日色を見て、アノールドは肩《かた》を落とし溜め息を吐《つ》いている。

「……はぁ、もういいや。さっさと仕留めるとすっか……」

「あ、あのおじさん、頑張《がんば》ってね」

「ああ～やっぱミュアは可愛《かわい》いなぁ～、よっし元気出た！　お前はそこでジッとしてろよ」

「う、うん」

彼女《かのじょ》は次に、少し頬《ほお》を染めた状態で日色を見上げる。

「あ、あのヒイロさんも、その、気を付けて。怪我《けが》だけはしないで下さい……ね？」

「当然だ。お前は魚が駄目《だめ》にならないように見守ってろチビ」

「あ、はい！」

ミユアが嬉《うれ》しそうに微笑《ほほえ》んでいるので、彼女を見たアノールドは釈然《しゃくぜん》としない気持ちで日色を見つめている。

「な、なあ、最近ミュアの俺とお前に対する態度が違《ちが》うような気がするんだが？」

「気のせいだろ」

「い〜や、絶対そうだ！　そもそもミュアは俺の娘《むすめ》なんだし、絶対お前に渡《わた》しは――――」

「来るぞ親バカ」

アノールドの声を遮《さえぎ》るようにモンスターたちが向かって来た。

「ああもう！　空気読めよこのスカタンがっ！」

アノールドは空に跳《と》び上がり、大剣を目《め》一杯《いっぱい》振り上げると勢いよく下ろす。ブシュウゥッと相手の体を寸断することに成功する。

「よしっ！　後は……ってえええええええっ⁉」

アノールドが驚愕《きょうがく》に大声を張り上げるのも仕方が無い。何故《なぜ》ならもう一匹の背後から、今度は三匹《びき》現れたのだから。

「お、おいヒイロ……」

「はぁ、めんどくさいが仕方が無いな。オッサンは下がってろ」

日色は目の前に固まって集《つど》っている四匹のモンスターを目つきを鋭《するど》くさせて睨みつけると、先程《さきほど》アノールドに向かって突き出したように、人差し指をモンスターに向けた。

ポワッと青白い光が指先に宿ったと思ったら、日色はその指を動かしていく。

その軌跡《きせき》を残すように青白い光は繋《つな》がる。何かを書いているのだ。そして書き終わった後、空中にはある文字が浮かんでいた。

『爆』

それは確かに日本語で書かれた文字だった。

「爆《は》ぜろ、《文字魔法《ワード・マジック》》」

言葉を引き金にして、その文字は撃《う》ち出された弾丸《だんがん》の如《ごと》く真っ直《す》ぐモンスターたちに向かって飛んでいく。

ドガァァァァァァン！

その文字が一匹のモンスターの体に触《ふ》れた瞬間《しゅんかん》、凄《すさ》まじい爆発《ばくはつ》がその周囲に起きた。近くに居た他《ほか》のモンスターも間違《まちが》いなくその巻き添《ぞ》えになっている。

「あ、相変わらず奇妙《きみよう》な魔法だなおい」

アノールドは、今の爆発で四匹のモンスターが完全に沈黙《ちんもく》しているのを確認して、先程それが自分に向けられていたのだと思っているのか、ピクピクと頬を引き攣《つ》らせていた。

「ま、まあとにもかくにも危険は去った。これで落ちついて飯が食えるぜ」

「早く肉を調理しろよロリコン」

「誰《だれ》がロリコンだ誰があっ！」

するとそこに頬を膨《ふく》らませたミュアが大声を張り上げる。

「ケ、ケンカしちゃダメだよ！　ヒ、ヒイロさんも！」

「む……」

「怒《おこ》ってるミュアも可愛いなぁ……」

叱《しか》られているのに顔を蕩《とろ》けさせている彼を見て日色は思う。

（やはりただのロリコンだな）

すると両手の指をモジモジさせながらミュアが日色に近づいてくる。

「あ、あのヒイロさん？」

「ん？　何だ？」

「そ、その……怪我とかは……？」

「心配するな。あの程度のモンスターにやられるわけがないだろ？」

「そ、そうですね、えへへ、さすがはその……ヒイロさんです」

「そんなことより、さっさと飯の続きだ」

「あ、それならわたしご用意しますね！　この前おじさんに教えてもらっておいしいソース作ってみたんです！　是非《ぜひ》お魚につけて食べてみて下さい！」

「ほう、それは楽しみだ」

ミュアは日色の言葉に表情を明るくさせると、トコトコと荷物袋《ぶくろ》がある場所へと向かって行った。

そこでふと、降って来そうなほど大量に星が浮かぶ夜空を見上げる。

（そういや、この異世界に来てずいぶん経《た》つか。今もまだどこか信じられない……オレが異世界に召喚《しょうかん》されたなんて。しかもそれが勇者召喚に巻き込《こ》まれて……なんてな）

肉が焼ける良い匂《にお》いに心地好《よ》さを感じながら、この異世界【イデア】に初めて来た時のことを思い出していた。

第一章　巻き込まれて異世界

今日の前で起きていることを丘村日色《おかむらひいろ》は冷静に分析《ぶんせき》していた。そこには見たこともない者たちが存在している。

しかもその様相は、日本ではまずお目にかかれないであろう神官風の男が複数、そして桃色《ももいろ》のドレス姿をした少女もいる。

顔だけを動かして、自分が今どこにいるのかを把握《はあく》していく。建物は吹《ふ》き抜《ぬ》けになっており、座りながらでも外がよく見える。

ただそこからは地面ではなく、かなり遠くにあるであろう山並みが見えるので、ここはどうやらそれなりに高い場所だと判断できた。

どこかの塔《とう》か何かの場所なのか、幾《いく》つかの円柱で支えられている天井《てんじょう》にもまるで見覚えの無い奇妙な絵が描《えが》かれていた。エジプトの壁画《へきが》に描かれているような不思議な絵だった。

見覚えがあるといえば、周囲には自分と同じ高校の学生服を身に着けた四人が居た。

同じクラスだが、話した記《き》憶《おく》が無い。何故そんな者たちと一緒に自分がここにいるのか。

足元には、ゲームなどで見たことのある魔法陣《まほうじん》が描かれてある。

明らかに日本人ではない者たち、見たこともない景色、そして魔法陣。

現況《げんきょう》から推測して自分の身に何が起きたのか、大よそは理解していたが、ドレス姿の少女が発した言葉でそれを確信することになった。

「よ、よくいらして下さいました勇者様！」

ああ、ここは俗《ぞく》に言う異世界なのだと。

先程まで自分は学校にいたはずだ。昼から授業をサボり屋上でずっと寝《ね》ていて、放課後になったので教室にカバンを取りに戻《もど》った。そこには今ここにいる四人がいたのだ。

いつものように四人には一瞥《いちべつ》もしないで自分の席へと向かった。向こうはこちらを見て少し眉《まゆ》をひそめたようだったが、相手の反応には興味が無かったので無視した。

しかしその時、突然《とつぜん》足元から眩《まばゆ》い光が迸《ほとばし》った。その場にいた日色を含《ふく》めて五人は、あまりのことに体を驚《おどろ》きのせいで硬直《こうちょく》させていた。

目の前が真っ白になり、気づいたら今の状態だったというわけだ。

周りで神官風の男たちが喜びの声を上げている。「やったぞ！」、「成功だ！」などと、突然のことで戸惑《とまど》うこちらの気を無視してはしゃいでいる。

だがその表情にはかなりの疲弊《ひへい》感が見える。マラソンでもしていたのかと思うほど汗《あせ》を流しているのだ。

一方少女の方は、日本人とは思えないオレンジ色の髪《かみ》が腰《こし》までウェーブしている。身形《みなり》も綺麗《きれい》で、目も大きく愛らしい顔立ちだ。

見る目を引くような美少女であることは間違いないと判断できた。

そんな彼女《かのじょ》も男たちに負けず劣《おと》らず顔を綻《ほころ》ばせていた。恐《おそ》らく自分たちは、この者たちに召喚よろしく、問答無用で呼びつけられたのだろう。

ライトノベルなんかでよくある光景だ。だがそれは間違いなく空想の世界の出来事。

まさか自分がそんな経験をするとは思ってもいない。冷静に分析していた日色でさえ、いまだにどこか信じ切れていない部分がある。

ともに召喚されてきた者たちも同様の思いで、自分たちに起こった現象に理解が追いついていない顔をしている。そんな中、ようやくその中の一人が口を開く。

「ゆ、勇者？　どういうことですか？」

名を青山大志《あおやまたいし》といい、茶髪《ちゃぱつ》だが真面目《まじめ》そうな顔つきと優《やさ》しい雰囲気《ふんいき》を持っている。

さらに身長も高く爽《さわ》やかイケメンなので、クラスでは圧倒《あっとう》的に彼氏《かれし》にしたい男ナンバーワンである。

大志に尋《たず》ねられた少女は慌《あわ》てて頭を下げる。

「あ、申し訳ありません！　それについては国王が直々にご説明致《いた》します！　ですからよろしかったら私についてきて下さい！」

そう言いながら申し訳無さそうな表情が見える。よく見ると彼女の顔色が悪い。

先程までは笑顔《えがお》だったのでよく分からなかったが、召喚したことで疲労《ひろう》したのか額にも汗が確認《かくにん》できる。神官風の男たちと同じである。

そんな彼女の様子に大志も気づいたのか、ここで長居せずに、とりあえずは従って様子を見ようと思ったようだ。その方が彼女も休めるかもしれないと思ったのだろう。

そして日色以外の人物に、大志が目配せをして了承《りょうしょう》を窺《うかが》うように頷《うなず》く。

「分かりました。一応どうなったのかは予想できますが、話を聞かせてもらいます」

どうやら他の四人も何となく自分たちが置かれた状況《じょうきょう》を把握しつつあるのだろう。

こうして五人は少女の先導のもと、国王がいるという《玉座《ぎょくざ》の間《ま》》へと向かった。向かう途中《とちゅう》、日色は周りを観察することを忘れなかった。

使用人と思われる人物、所々に配置された兵士らしき人物。髪の毛や瞳《ひとみ》の色を見て、やはり日本ではないと改めて認識できた。

先程居た場所は、やはり塔のようであり、大きな城の中に建てられたものだということも理解した。

「おお、よくぞ召喚に応じてくれた。感謝するぞ勇者たち」

玉座に座っている人物が穏《おだ》やかな笑みを浮《う》かべて言葉を発した。別に好きで応じたわけではないと思ったが口にはしない。

「しかし、突然のことで戸惑いばかりが先行しているであろう。だが安心するがよい。今からしかと説明致すゆえ」

そう言って王はまず自己紹介《しょうかい》から始めた。


国の名は【人間国《にんげんこく》・ヴィクトリアス】。この世界【イデア】に存在する『人間族』を統一する王が住む国である。

大きく分けて大陸は三つあり、それぞれの大陸に住む種族が国を治めている。また種族も大きく分けると四種族ある。

「我々『人間族』、そして『獣人族《じゅうじん》』と『魔人族《まじん》』は国を持っておるが、『精霊族《せいれい》』は国を持っておらん。というより、他種族にはあまり干渉《かんしょう》しないのか、見たことが無い者がほとんどだ」

日色たちが今居るのは【人間国・ヴィクトリアス】で、目の前に君臨しているのが統一王であるルドルフ・ヴァン・ストラウス・アルクレイアムである。

その隣《となり》にいるのが王妃《おうひ》マーリスで、ここまで案内してくれた少女は第一王女のリリスだ。

『人間族』、『獣人族』、『魔人族』、今この三つの種族間には、かつてないほどの緊張《きんちょう》が生まれているらしい。特に『魔人族』の王が、『人間族』を滅《ほろ》ぼそうと画策しているという。

「奴《やつ》ら『魔人族』は強大な魔力《まりょく》と高い身体能力を持つ。こと戦闘《せんとう》においては、確かに凶悪《きょうあく》過ぎる力を有しておる。奴らはこの【イデア】を掌握《しょうあく》しようと考えておるのだ」

この世界には魔法《まほう》があり、無論魔力が強大であれば強大であるほど強い魔法を行使《こうし》できる。そう、この世界は普通《ふつう》に魔法というファンタジーが存在する世界なのだ。

『人間族』も魔力は持っているが、種族的に内包する魔力量が絶対的に少ないのである。

「この世界には冒険者《ぼうけんしゃ》ギルドがあるが、高位ランクの冒険者でも、戦闘に慣れた『魔人族』相手ではチームで対応しなければならないことが多いのだ。それほど奴らは強い」

このままではいずれ滅ぼされると懸念《けねん》した国王は、何とか逆に『魔人族』を滅ぼせないかと考えた。その時、古《いにしえ》の魔法として封印《ふういん》されていた召喚《しょうかん》魔法を使用することになった。

だが封印されていたということは、何かしらの理由がある。それは召喚魔法が、決して万能《ばんのう》ではないことを示す。

召喚魔法は多大な魔力を必要とし、また資質が無い者が行えば、《反動《リバウンド》》といって、行使した魔力が凶器《きょうき》となって身に降りかかってくるのだ。

元来召喚魔法は王家の者しか使えないとされてきた。だが無論リスクもある。失敗した者は、強大な魔力に当てられ精神を壊《こわ》し、最悪の場合は死ぬのだ。

そこで国王ルドルフは考えた。自分には何人か娘《むすめ》がいる。その娘たちに召喚魔法を使わせる方法を選んだのだ。

このままでは『人間族』は全て滅ぶ。回避《かいひ》するためには、何としても異世界から勇者を呼ぶ必要があった。

古い文献《ぶんけん》には、過去に異世界から勇者を召喚して、恐ろしい災《わざわ》いから『人間族』を救ってもらったと書いてあったのだ。

そしてルドルフは、心を鬼《おに》にして娘たちに頼《たの》んだ。しかし第四王女、第三王女ともに失敗して《反動《リバウンド》》の影響《えいきょう》で命を落とした。

(……自分の娘を犠牲《ぎせい》にしただと？)

日色はルドルフの決断を訝《いぶか》しみ、不愉快《ふゆかい》そうに視線を向ける。だがこの場で疑問を口にすれば面倒《めんどう》なことになると判断して、黙《だま》って話の続きを聞くことにした。

王妃マーリスは嘆《なげ》き苦しんだが、彼女自身、外家から国王に嫁《とつ》いだ女だったので、純粋《じゅんすい》な王家の血を引いておらず、召喚魔法が使えなかったのだ。

次は第二王女。彼女は命こそ取りとめたものの、今もなおベッドの上で目覚めない。

「召喚魔法が使えるのはリリスとワシだけとなった。もうこれ以上は失敗できぬと判断したワシは、自らやるしかないと思ったのだ」

しかしそれには皆《みな》が反対した。王がいなくなれば、国は支えを失いそれこそ『魔人族』につけ込まれ、一瞬《いっしゅん》のうちに滅ぼされてしまうかもしれない。

周りの意思を確認し、そしてリリスは、自ら国の礎《いしずえ》になることを決断した。

「私も怖《こわ》かったです。ですが国のために、私にできることがあるのならと思い、召喚魔法に全てをかけました」

リリスが静かにその小さな唇《くちびる》を動かしていく。

「儀式《ぎしき》は神官たちの魔力と、私の魔力を媒介《ばいかい》にして行われました。儀式の最中に気が遠くなるのを感じて、やはり自分では無理だったのかと思い死を覚悟《かくご》しました。ですがその時、魔法陣が見たことも無いほどの輝《かがや》きを見せてくれたのです」

そして、五人の人間が姿を現したということだ。

（なるほどな、あの女の疲《つか》れ具合は、やはり召喚魔法の影響だったか）

今も椅子《いす》に座ってはいるが、その顔色はまだ悪い。成功したとしても、それも《反動《リバウンド》》とやらのせいだろうと日色は分析した。

「そうか、その『魔人族』から『人間族』を守るために俺《おれ》たちはここに呼ばれたってわけか」

青山大志は説明を聞き、何度も頷いている。

「そうだ。文献によると、勇者は全部で四人いる。ん？　そう言えば今気がついたが、五人……おるな」

そうだ、今回召喚《しょうかん》されたのは五人いるのだ。ルドルフは「どういうことだ」と近くにいる学者風の男性に視線を送る。彼は慌てたように眼鏡《めがね》をクイッと上げる。

「わ、分かりません！　ですが、五人とも勇者なのでは……？」

「ふむ……それなら調べてみればよいだろう。お主たち、自分の能力を確認してみよ」

ルドルフはそう言うが、日色たちは何の事だか分からず首を傾《かたむ》けてしまう。

「ん？　どうした？　まさか能力確認ができないのではなかろうな？」

「その通りなんですが……」

皆の代表として大志が恐縮《きようしゆく》するように言う。

「ふむ、心の中で《ステータス》と念じてみよ」

王の言葉通り皆は行う。もちろん日色も念じてみた。すると目の前にゲームで見たようなステータス画面が広がる。

ヒイロ・オカムラ
Lv 1
HP 24／24
MP 120／120
EXP 0
NEXT 10
ATK 13
DEF 8
AGI 27
HIT 11
INT 23

《魔法属性》無
《魔法》文字魔法（一文字解放）
《称号《しょうごう》》巻き込《こ》まれた者・異世界人・文字使い

（それにしてもこれじゃまるでゲームだな。まあ、こういうシステムがあるのは、こっちとしては分かり易《やす》いからいいが……変な世界だな）

いろいろ疑問が湧《わ》き出てくる。レベルが1なのは理解できた。ここがRPG的な世界なら、自分はまだ誰《だれ》とも戦闘を経験していないから仕方が無い。

しかしこのMP《魔力》の高さは何だろう？　異世界人は魔力が高いというような話は先程《さきほど》聞いたので、その恩恵《おんけい》だろうかと思った。

ちなみにHPは体力。MPは魔力。EXPは経験値。NEXTは次のレベルアップまでに必要な経験値。ATXは攻撃《こうげき》力。DEFは防御《ぼうぎょ》力。AGIは素早さ。HITは命中力。INTは賢《かし》こさをそれぞれ示すのだろう。これはゲームでもよく利用されている表現だ。

AGIが意外に高いのも驚《おどろ》くが、やはり一番驚くのはこれに違《ちが》いない。

《巻き込まれた者》

これは完全に、他の四人の勇者の巻き添《ぞ》えでこの世界に来たパターンのやつだ。つまり自分は勇者ではなく、限り無く一般人《いっぱんじん》だということだ。

魔法についても気にはなるが、それよりもこの事実をどう説明したものか思案する。

そんなふうに考えていると、ルドルフが聞いてくる。

「どうだ？《ステータス》は本人しか確認《かくにん》できないが、称号に勇者とあるはずだ」

それに真っ先に答えたのはやはり大志だった。

「は、はい、あります！　勇者って書いてあります！　うわ～すげえな、ホントに俺って勇者なんだなぁ」

何がそんなに嬉《うれ》しいのか、興奮気味に声を発している。

「なあ千佳《ちか》、お前はどうだ？」

大志に言われて答えたのは鈴宮《すずみや》千佳。彼女はクラスでもよく喋《しゃべ》る人気者の一人だ。ハキハキと物を言い、屈託《くったく》なく人と接するから好感を持たれるのだろう。

外見は大志より薄《うす》い茶髪《ちゃぱつ》のショートカットだ。胸はいまいちな大きさだが、スポーツ万能な彼女ながらのスレンダーな体軀《たいく》は、男子はもちろん女子も憧《あこが》れの目を向けている。

「うん、あったわよ大志」

「そっか。朱里《しゅり》としのぶは？」

同じく近くにいる彼女たちにも声を掛《か》ける。

皆本《みなもと》朱里は綺《き》麗《れい》な艶々《つやつや》とした黒髪《くろかみ》のロングヘアーを持っている。こちらは千佳とは違い、男を寄せ付けてしまうほどの豊満なボディを持つ。

彼女は茶《さ》道《どう》部に所属していて、時々着用する着物姿を拝もうと、男子たちは見学に行ったりする。垂れ目気味な目と、泣きぼくろもチャームポイントなのだろう。

もう一人の赤森《あかもり》しのぶは、好奇《こうき》心旺盛《しんおうせい》な少女である。新聞部に所属していて、将来はそっち方面の職業に就《つ》きたいらしい。

彼女もかなりの饒舌家《じょうぜつか》で、頭も良いので皆からよく試験対策を聞いたりされている。

肩《かた》までで少しウェーブのかかった紺色《こんいろ》のような髪をしている。ネコのような目つきは、獲物《えもの》を見つけると決して逃《のが》さないといった強い意志が宿っているような感じがする。

しかし三人に共通して言えることは、三人ともが、道を歩けば男の目を引く美少女であるということだ。その上、いつも大志と一緒《いっしょ》にいるハーレム要員というわけらしい。

朱里としのぶにも勇者の称号があったようだ。

「あれ？　でも何でこっちの言葉が俺らにも分かるんだ？　この《ステータス》も俺らに馴染《なじ》みのある言葉が使われてるし……」

大志の疑問は当然だった。他の三人もそう言えばと思いハッとなっている。日色も自分で聞こうと思っていたが、大志が聞いたので手間が省けたと思った。

こうして言葉が通じるということは、相手も日本語を理解しているということだ。それについて答えてくれたのはリリスだ。

「《ステータス》に現れる言語については、過去の文献に従えば、勇者様がおられた世界の言語を基準として、分かり易く翻訳《ほんやく》されるようです。また私たちとの会話ですが、これも異世界人の補正として疎通《そつう》ができるとのことです」

何とも便利な補正だと思った。しかし確かに、そうでもなければ意思疎通が図《はか》れず会話だけでも時間が掛かり過ぎる。

(まあ、いずれにしてもご都合主義な感じが否《いな》めないがな……)

この世界の言語は《ラナリス文字》というが、本などに書かれている文字などについては、文字の上に日色たちが分かる言語で翻訳されるとのことだ。

ただしこの世界の文字を書こうと思うのならば勉強する必要があるようである。

ともかく、これで四人が勇者だと証明されたようだ。そしてそこで、次は当然の如《ごと》く日色に視線が向かう。

「お主はどうだった?」

「……無い」

一言そう言った。すると周りがザワザワしだした。

「無い……とは、それではどういった称号があるのか答えてみよ？」

上から目線の姿勢が鬱陶《うっとう》しいなと思いながらも、正直に答える。だが一つだけ。

「《巻き込まれた者》……」

その言葉に今度は四人の雰囲気《ふんいき》が変化する。眉《まゆ》を寄せて信じられないといった感じでポカンとしている。

「《巻き込まれた者》……？　リリス、どういうことか分かるか？」

「え、あの……はい。お、恐《おそ》らくはその……」

言い難《にく》そうに顔を俯《うつむ》かせる。日色は彼女を見て嘆息《たんそく》し、代わりに話す。

「オレはただの一般人。たまたまあの時、教室に来てしまったせいで、コイツらの巻き添えになった。そういうことだろ？」

「あ……あの……」

「ちょっとちょっと！　丘村！　コイツらって何よコイツらって！」

目くじらを立てた千佳が指を突《つ》きつけて言ってくる。だがそれを完全に無視して続ける。

「本来この世界に呼ばれるべきだった人数は四人。それはそいつら四人だ。オレは言ってみればイレギュラー的存在。この始末はどうつけるつもりだ？」

別に敵意や殺意は込めてはいない。ただ淡々《たんたん》と事実を述べているだけだ。それでも実際に召喚したリリスの顔が段々と青ざめていく。

「いや、オレだけじゃない。そいつらもこっちの都合で呼び出された。向こうにいる家族はさぞ心配してるだろうな」

増々《ますます》リリスは表情を悲痛なものに歪《ゆが》ませていく。周りに居る兵士たちも、日色の言っていることが正論なのでざわつきだしている。そんな彼らをルドルフは手を上げて黙《だま》らせる。

「確かに、そちらの都合を考えず召喚してしまったことには申し開きはできぬ」

国王が謝罪の言葉を述べる。言いわけじみたことを言ってくると思ってはいたが、存外《ぞんがい》自分たちの犯《おか》したことの重大さは認識《にんしき》しているようだ。

「しかし、ワシらにはもうこれしか方法は無かったのだ」

「いや、ハッキリ言ってそいつらについてはどうでもいい」

「は？」

日色の言葉に皆《みな》が時を止めたように唖然《あぜん》となる。

「オレとそこの四人には、基本的に何の繋《つな》がりも無いとオレは思ってる」

「おいおい、丘村！　一応クラスメイトだろうが！」

日色の言葉に憤《いきどお》りを感じたのか、大志が怒鳴《どな》ってくる。

「ああ、クラスメイトだ。ただ単に学校側が決めた、同じ部屋で勉強するだけの繋がりしかないだろ？　オレにとって、そんなの繋がりが無いに等しい」

「そ、それは言い過ぎです……」

「せやで、せ〜っかく同《おんな》じクラスになったんやしな〜」

朱里としのぶもそれぞれの感想を述べる。

「なら言うが、一緒のクラスになって五か月以上、オレは一度もお前らと話したことが無いが？」

本当のことだった。基本的に一人が好きな日色は、彼らだけでなく、他の者たちとも距《きょ》離《り》を置いていた。寝《ね》ることと食べること、そして読書。それが日色の日常だった。

特に食べることと読書については、それが生きがいとも呼ぶべきものだった。

大食いの早食いでグルメな日色は、たとえ県外でも美味いものがあると聞けば、わざわざ自転車を走らせてまで目的の場所へと向かったことがある。

限定百個の超人気《ちょうにんき》大福が販売《はんばい》されると聞けば、前日から並んで、確実に手に入れるほどの執念《しゅうねん》を見せたことで、皆から《食の追求者》なんて呼ばれたこともある。

また読書については、学校の図書室には時間があれば通いつめ、生徒や教師から《図書室の住人》と呼ばれたこともあるほどだ。

少し遠くても、図書館があると聞けば足を延ばして知識欲を満たした。あまりに熱中し過ぎて、飲まず食わずで三日間部屋に閉じこもり借りた本を読んでしまい、倒《たお》れてしまったこともあった。

確かに彼らはクラスメイトだが、今まで喋ったことは無かったのだ。その二つの欲望《よくぼう》が満たせれば、友達などいらないとさえ思っていた。

そんな日色に対して大志たちは、確かに話しかけにくいと感じていたかもしれないし、進んで喋ろうと思ったことが無かったのも事実だろう。

日色の言葉を受け、四人は反論できずに押《お》し黙っている。

「さて、さっきも言った通り、そっちの四人とオレは何の関係も無い。アンタたちが欲しいのは四人の勇者なんだろ？　だったらオレはいらないはずだが？」

「む、むぅ……」

ルドルフは難しい表情をしながら唸《うな》る。どう判断したらいいか迷っているようだ。

「勇者っていうんだから、そいつらは相手が『魔人族《まじんぞく》』でもそれなりに戦えるんだろ？　だがオレは一般人だ。まさかオレにもそんな危ない奴《やつ》らと戦わせるつもりじゃないだろうな？」

「………なら聞こう。お主はどうしたい？」

「元の世界へは？」

「ぶ、文献《ぶんけん》では『魔人族』の王が送還魔法《そうかんまほう》を知っているらしい」

ルドルフの言葉が《玉座の間》に響《ひび》くが、瞬間的《しゅんかん》に表情を暗くさせたリリスが気になった。それを見て日色は静かに目を閉じる。すると大志が二人の会話の間に入ってくる。

「な、ならさっさとその『魔人族』の王を倒せばいいんですね！」

コイツは馬鹿《ばか》だなと日色は思った。仮に知っているとして、そんな人物を倒してどうするんだ。ノリだけで言葉を放つ大志に対して呆《あき》れてしまう。

「う、うむ。その通りだ。それにだ、この国も素晴《すば》らしいし、きっと気に入ると思う。お主たちはもう我々の家族と同じようなものだからな」

必死に言い聞かせるように言葉を並べるルドルフを見て、王である彼が何だか情けなく思えて日色は肩を竦《すく》めてしまった。

「あ、でも丘村じゃないけど、向こうに残した家族が心配よね」

千佳だけでなく他《ほか》の者も同じ心配をしているみたいだ。

「そ、それについては心配無いようだ、そうだな？」

ルドルフは、傍《そば》にいる学者風の男に話を振《ふ》る。男は急に振られたからなのか、慌《あわ》てて頭を何度も下げながら答える。

「あ、は、はい！　じ、実は向こうでは勇者さまたちは最初からいなかったことになっているのです！」

「い、いなかったことになってるだって!?」

その言葉はかなり衝撃《しょうげき》的だったようだ。声を発した大志と同様の驚《おどろ》きを他の三人も見せている。

「あ、いえ、安心して下さい！　それは向こうの世界の辻褄《つじつま》を合わそうと力が働いているからで。向こうに戻《もど》ったら元に戻ります……はい」

大志から目線を逸《そ》らし、挙動不審《ふしん》な態度を取る学者風の男を見た日色は、

（嘘《うそ》……だな）

彼らの態度から間違《まちが》いなくそう感じていた。明らかに取り繕《つくろ》っている不自然さを感じてしまった。

（恐らく今奴らの言ったことは全部嘘だろう。それは何とかしてオレらを納得《なっとく》させるために作り上げた理由だろうな。送還魔法、つまり元の世界に戻す術《すべ》は……無い。少なくとも今のところは）

それに気づいているのは四人の中にいるのかなと思いそれぞれの顔を見つめる。

大志は全く気づいていない。千佳も同様の様子だ。そんな中、彼らの言葉に眉を寄せていたのは朱里としのぶだ。

今の言葉に胡散臭《うさんくさ》さを感じているのかどうかは分からないが、引っ掛《か》かりは覚えているみたいだ。

(まあ、奴らが帰れるかどうかなんてどうでもいいか。オレは……別にどこででも生きていけるしな)

丘村日色は児童養護施設《しせつ》育ちである。両親に捨てられたというわけではなく、まだ幼い時に両親が事故に遭《あ》い死んでしまったのである。

それからは児童養護施設に引き渡《わた》され育った。そこではそれなりに友達もできた。しかしそれ以上に読書が好きで、ほぼ毎日様々な本を読み耽《ふけ》っていた。

人間の友達よりも、本が友達と呼ぶに相応《ふさわ》しい存在だっただろう。

何も無い天涯孤独《てんがいこどく》というわけではないが、どうしても向こうの世界へ帰らなければならないという理由も無い。だから別段帰る方法が見つからなくても困りはしない。

先程の様子から、恐らく帰る術が無いと知っているであろうリリス。その顔には若干陰《じゃっかんかげ》りが見える。やはり嘘を吐《つ》いていることが後ろめたいのかもしれない。

ルドルフの説明により、とにかく今は帰る術が無いのは理解できた大志たちは、これからのことについて話し合った。

「確かに、丘村の言う通り、あなたたちは俺たちを勝手に呼んだ。それは自分勝手だと思います」

大志にまで言われてさすがのルドルフも渋《しぶ》い顔をしている。

「けどま……」

日色以外の三人の顔を見つめる。すると皆がクスッと笑って再びルドルフを見る。

「俺たちはやりますよ！」

「ほ、本当にやってくれるのか！」

ルドルフがつい声を荒《あら》げる。

「ええ、俺たちはこういう世界で旅してみたいなって話をしていたところだったんですよ」

「うん！　オンラインゲームで一緒《いっしょ》に四人で冒険《ぼうけん》もしてるしね！」

千佳が言うように、彼らは元の世界では四人でオンラインのＲＰＧで遊んでいたらしい。

そしてよくあの放課後のように四人で集まって、冒険へ向かう場所などの相談をしていたという。

ここに飛ばされた時も、ちょうど四人でこういうゲームみたいな世界で冒険したいという話をしていたみたいだ。

「で、ではやってくれるのか！」

「その代わりなんですけど」

ルドルフの次に言葉を発したのはしのぶである。

「《ステータス》を見たところ、ウチらはまだレベル1です。つまりまだ初心者ということですよね？」

「う、うむ。そうなるな」

「このままですと、『魔人族』とはまともに戦えないと思うんですよね。なので……戦う術《すべ》を伝授してほしいなぁ～って思うんですけど？」

「それについては心配いらん。戦闘《せんとう》については……」

その時、鎧《よろい》を着用した一人の人物が兵士の中から姿を見せる。

「ここからは私がご説明致《いた》します。勇者様がた」

そう言いながら片膝《かたひざ》をつき首を垂れる。

「私はウェル・キンブルと申します。勇者様がたに戦い方を教授させて頂く役目を仰《おお》せつかっております」

「ちなみに彼はこの国の軍隊である第二部隊隊長でもある」

彼は端整《たんせい》な顔立ちをしたイケメンである。引き締《し》まった体つきを見れば、鍛《きた》えに鍛えていることがよく分かる。緑色の短髪《たんぱつ》であり、意志の強そうな瞳《ひとみ》が光っている。

女性の視線が彼に集中するのも無理は無いだろう。千佳だけは興味が無いのか無表情で彼を見つめている。

「ということは、そのイケメンさんがウチらを鍛えてくれるってわけなんかな？」

「そうだ、今は国境周辺も少しの間だけ落ち着いておる。また激しくなる前に、お主たちには強くなってもらいたい」

「あ、住むところは？」

「それはこの城に用意してある。あとでリリスに案内させよう」

どうやら話はどんどん進められていって、大志たちは戦うことに決めたようだ。その後は、リリスからある程度の【イデア】における常識を教わった。

そして話し終わった後、日色はスッと手を上げる。

「悪いがオレは自由に動かせてもらうぞ？」

その言葉に皆《みな》は、またも時を止めたように絶句するが、日色からすれば、そんな表情をする方がどうかしている。

「いやいや、オレはこの国に恩義も無ければ、戦う理由も無い。それにそっちの奴らみたいに勇者でもないしな。故《ゆえ》にこれ以上ここにいる理由が無いだろ」

「む……しかし」

「悪いが、オレはそっちの奴らのように物分かりがよくない。まあ、せっかくの異世界だ。オレは思うように過ごしたいと思ってるだけだ。別に構わないだろ?」

ルドルフは思案顔《しあんがお》を作りこちらを観察してくる。

確かに日色は勇者ではなく一般《いっぱん》人だ。見た目も強そうには見えないだろう。黒髪《くろかみ》黒目、身長は百七十三センチあるのだが、決して筋肉質な体ではない。

唯一《ゆいいつ》チャームポイントとして、眼鏡《めがね》をしているということだろう。イケメンレベルでは大志と比べると劣《おと》ってしまうのも本人は自覚している。

そんな日色を見ていると、とても一般人として戦っていけるとは思えないと普通《ふつう》は考える。ルドルフも日色を観察してそう思ったに違《ちが》いない。

だがルドルフたちによって日色が呼ばれてしまったことも事実だ。このまま何もせずに放り出すようなことはさすがにできないとルドルフは思ったのか、

「う、うむ。お主に関しては、全面的に謝罪する他ない。何かして欲しいことは?」

「無いな」

「な、無いだと?」

「ああ。それと、オレは別にアンタらを恨《うら》んじゃいない。この世界にも珍《めずら》しい本とかありそうだし、なかなかに面白《おもしろ》そうだ」

日色だって男だ。冒険に憧《あこが》れたことはあるのだ。本に書かれた主人公のような大冒険でなくてもいいから、こんな世界を歩いてみたいと思ったことはあるのだ。

「だからこれ以上ここにはもう用は無いんだ。じゃあな」

そう言って出て行こうとすると、大志が腕《うで》を掴《つか》んでくる。

「おい！　さっきから自分は無関係無関係言いやがって、それでも男か！」

「ああ？」

めんどくさそうに声を漏《も》らす。大志は怒《いか》りを伝えるかのように握《にぎ》った手に力を込《こ》めてくる。

「この国の人がこうやって頭を下げてんだ！　少しくらい力を貸そうとは思わないのかよ！」

「思わないな」

「何でだよ！」

「オレは勇者じゃないからな。それとも何か？　大した力も無い人間を弾除《たまよ》けにでも使うつもりか、お前は？」

「な……弾除けって……」

腕の力が緩《ゆる》んだところで、腕を振《ふ》って拘束《こうそく》から抜《ぬ》け出す。

「もういいじゃん大志、そんな奴《やつ》」

千佳が睨《にら》みながら言ってくる。明らかに不機嫌《ふきげん》ムードだ。

「ね、そう思うよね二人とも？」

「えっと……私はその……」

朱里は戸惑《とまど》うように視線を下に向け、時々何かを言おうとするが言葉に出ていない。しのぶは日色をジッと見つめたと思ったらクスッと笑う。

「アハハ、別にええんやないの？　これはゲームみたいやけど一応現実なんやろ？　つまり命の危険もあるっつうわけやんな？　ウチらは勇者らしいし、これから強ぅなんねやろうけど、一般人の丘村っちはそうやあらへんねやろ？　せやったら彼の気持ちも分かってやらなあかんのとちゃう？」

しのぶの言葉は他《ほか》の三人を黙《だま》らせた。それが正論だからだ。これはゲームではない。実際に自分たちを呼ぶために人が死んでいるのだ。それだけ真剣《しんけん》だということだ。

「そ、そうだな。できる者たちだけでやろう」

大志も納得したようだ。

日色は彼らを一瞥《いちべつ》するとその場から去って行こうとする。その時、

「あ、あの！」

その声はリリスだった。日色は足を止め、顔だけ振り向く。

「その……す、すみませんでした！」

不安そうに彼女はこちらを見てくる。日色は顔を元の位置に戻《もど》して言う。

「気にするな」

今度こそその場から去って行った。


城から出て、街中でこれからのことを日色は考えていた。

（さてと、とりあえずはＲＰＧの基本、情報収集からだな）

本来なら国王たちに聞けば良かったのだが、あれ以上滞在《たいざい》していると、思わぬ事態を引き起こし国から去ることが難しくなる可能性があった。

それに兵士の中には日色の存在を疎《うと》ましく感じていた者もいただろう。あのような態度をとったのだから仕方無いと言えるが。

だがだからこそ、一刻も早くあの場から立ち去ったのだ。それにあそこには四人の優《ゆう》

秀《しゅう》な人物がいる。自分は必要無いだろうと判断した。

(とりあえずこの《ステータス》の魔法《まほう》の欄《らん》……《文字魔法》って何だ？　属性は何となく分かる。無属性《むぞくせい》ってことだろうな)

ゲームや小説で得た知識を総動員する。魔法と言えば、ギルドという言葉も思い出す。この世界にはギルドがあると国王からの話で聞いていた。

ギルドの場所を街人に聞いてみて、すぐ近くにあるということが分かった。

とりあえずギルドで冒険者登録しようと思い向かう。ここに住むにも、旅をするにも無料《ただ》ではできない。とにかく金を稼《かせ》がなければならないのだ。

ちなみに金はギルドカードに貯蓄《ちょちく》することができる。また支払《しはら》いなどもカードで行うことが可能。一応ある程度は常識としてリリスに教えてもらっていた。

ギルドに行くと、中はそれなりに賑《にぎ》わっていた。幾《いく》つかある受付には、冒険者であろう屈強《くっきょう》な者たちが並んでいる。

一番端《はし》の受付には登録願いと書かれた看板が上に貼《は》りつけてあった。

黒髪黒目、そして黒い学ラン姿が珍しいのか、日色が入ると少なくない注目を浴びてしまう。

見たことのない学生服だから当然だろう。そのうち防護服を購入《こうにゅう》しようと思った。視線を浴びながら、それを興味の無い素振《そぶ》りでそのまま受付まで歩いて行く。

「悪い、登録したいんだが」

ぶっきらぼうにそう言うと、受付嬢《うけつけじょう》は営業スマイルを作り説明してくる。

ギルドには様々な依頼《いらい》が持ち込まれてくる。その依頼をこなし、報酬《ほうしゅう》を得るのが冒険者《ぼうけん》である。

依頼には難易度を表すランクとして下から、F・E・D・C・B・A・S・SS《ダブルエス》・SSS《トリプルエス》とある。

登録者にはギルドカードが発行されるのだが、それは国民が持つ住民カードと同じ役割を持つ。いわゆる身分証明書になるのだ。

冒険者にもランクが存在し、依頼ランクと同じものが適用されている。だがSランク以上の冒険者は少ない。特にSSS《トリプルエス》ランクの冒険者は、『人間族』では三人だけらしい。

受付嬢は真っ白なカードを持って来て、そこに血を垂らして欲しいと言った。小さな針を渡《わた》され、それを使って指に刺《さ》して血を流す。

血を流されたカードは、しばらくすると粒子《りゅうし》状になり消えていく。

「あ？　消えたが？」

「心の中で《ギルドカード》と念じてみて下さい」

言われた通りにすると、青白い粒子が現れ集結し形を成していく。それが手の中にカードとして現れた。

だがそのカードは先程と違うところも幾つかあった。真っ白なカードだったはずだが、現れたカードの外枠《そとわく》が青色をしていて字が浮《う》き上がっていた。

「この色はランクを表すものです。下から青色、紫色《むらさきいろ》、緑色、黄色、橙色《だいだいいろ》、桃色《ももいろ》、赤色、銀色、金色、黒色です」

ふんふんと頷《うなず》きながら説明を聞いていく。作られたギルドカードを見ながら確認《かくにん》していく。

Name：ヒイロ・オカムラ
Sex：Male
Age：16
Race：人間
From：Unknown
Rank：F
Quest：

Equipment
・Weapon：
・Guard：
・Accessory：
Rigin：0

Ｆｒｏｍである出身地がＵｎｋｎｏｗｎ《不明》なのは助かった。もし異世界とか書かれていたらいちいち説明が面倒《めんどう》だった。

Ｅｑｕｉｐｍｅｎｔというのは装備品のことだろう。武器や防具、アクセサリーの欄もある。だがそれよりも気になったことを聞く。

「なあ、このカードに書かれてあるリギン……か？　これは？」

「はい？　貯蓄金額ですが……？」

何を言っているのといった表情で首を傾《かたむ》けてくる。確かにこの世界の住人ならリギンという金の単位を知っていて当たり前だろう。

しかしさっき召喚《しょうかん》された異世界人である日色にとっては知らなくて当然なのだ。

聞いてみると、リギンというのは日本でいえば、円とほぼ同じ貨幣《かへい》価値だと理解できた。

そして七番目のQuestは、今受付中のクエスト、つまり依頼が映し出されるらしい。

（何ともまあ便利なカードだな）

これ一枚で、金のやり取りが必要な買い物もできるし、身分の証明にもなる。しかも普《ふ》段《だん》は自分の体の中にあり、いつでも取り出せるという万能ぶりを発揮している。

「依頼はどう受ければいいんだ？」

「あちらの掲示板《けいじばん》からお選び下さい。ですがあなたはランクFです。受けられるクエストもその一つ上のEまでです」

「なるほどな。どうしたらランクが上がる？」

「数々のクエストをこなし、経験値が上がれば、自然とランクが上がります」

「つまり、それなりのクエストをこなしていけば、この青い外枠が、次の……何だっけ？」

「紫ですね」

「その紫に変わるってことか？」

「その通りです」

本当に便利なカードだなと感嘆《かんたん》の息を漏らす。

「ただし、SS《ダブルエス》ランク以上の認定にはギルドの許可が必要になりますので、Sランクに昇《しょう》格《かく》し、それ以上を望まれるのであればギルドへ申請《しんせい》して頂き、認定許可が下りれば昇格となりますのでご注意を」

放置していてもレベルなどが上がっていけばSランクまでは自然と昇格するが、それ以上はギルドに申請して試験のようなものを受けなければならないという。

別にSSS《トリプルエス》ランカーを目指しているわけではないのでどうでもいいが。

「んじゃさっそくクエストを選んでくるか」

そう独り言のように呟《つぶや》くと掲示板の方に向かう。そこには様々な依頼が書かれた紙が貼り出されてあった。

教会の屋根修理　　F
アマルーク教会の屋根の修理の手伝いを望む。経験者優遇《ゆうぐう》。
報酬　10000リギン

フクビキ草の採取　　F
アソビット高原に生えているフクビキ草の採取を望む。
報酬　フクビキ草・一束　350リギン

ゴブリン討伐《とうばつ》　E
クリエールの森に生息するゴブリンを十体討伐望む。
報酬　35000リギン

（ここまで分かり易《やす》いほどゲームっぽいとは……。クエストやら、討伐依頼《いらい》なんて聞くと現実感が湧《わ》かないな）

他《ほか》にもいろいろとクエストはあったが、迷わず《フクビキ草の採取》を選んだ。まだレベル1なので、討伐系は正直不安がある。

恐《おそ》らくゴブリンは初心者でも討伐はできるのだろう。しかしできれば討伐はレベルを上げて、戦い慣れてからの方がいいと判断した。

「分かりました。しかしもしクエストを途中《とちゅう》でリタイアする場合は、違約金《いやくきん》の10000リギンが発生しますのでご注意下さい」

受付に紙を持って行きクエストを受注する。しかし違約金が発生するとは、これは是《ぜ》が非《ひ》でもリタイアだけは避《さ》けねばならない。少なくとも金が無い今は。

【アソビット高原】がどこにあるかまず聞く。喜ばしいことに、この国を出てすぐ近くにあるということだ。ここなら万が一、何かあってもすぐに国に逃《に》げ込《こ》める。

そして《フクビキ草》がどんな形をしているのか、ギルドに常備してある図鑑《ずかん》を見せてもらう。

(その図鑑じっくり読んでみたいな)

読書が好きな日色は知識欲が疼《うず》き出した。金が貯《た》まったらどこかに宿を借りて、図書館にでもしばらく籠《こも》ろうかと本気で考えた。

どんな植物か教えてもらった後、大きな袋《ふくろ》を貰《もら》ってギルドを出た。この袋に詰《つ》めてこいということだ。

街の外へ向けて歩いている途中で、もう一度《ステータス》を出していた。その中でやはり気になるのは《文字魔法》である。

それに魔力《まりょく》が多いとは言っても、使い方が分からなければ宝の持ち腐《ぐさ》れに他ならない。早急に魔力の使い方を知る必要がある。

受付で聞いておけば良かったと少し後悔《こうかい》した。この世界では魔法は珍《めずら》しいものではない。ほぼ全員が魔法を扱《あつか》えるし、魔力を多かれ少なかれ宿している。

聞こうと思えば、そこらの人にも聞くことができるというわけだ。

ふと足を止め、右側に注目した。そこには小さな机に水晶玉《すいしょうだま》を置いて、椅子《いす》に腰《こし》かけている人物がいた。

（……占《うらな》い師《し》？）

黒いローブを纏《まと》い、フードで顔が確認できないが、確かに外見上は占い師っぽかった。

「おや？　そこの御仁《ごじん》、どうかね一つ？」

声だけ聴《き》いて、ずいぶん歳《とし》を取った女性だと判断した。

「いや、金を持ってないからな」

「ほう、そうかね。でも御仁、そなたは何かを聞きたいというようなお顔をしているがね？」

「……」

「そなた、この国の者ではないな？　見たことがないからねぇ」

「何が言いたい？」

胡散臭《うさんくさ》そうに少し視線を突《つ》きつけるように見つめる。

「ふぇっへっへ、そう怖《こわ》い顔をなさるでない。初めてこの国へ来た記念として、少し占ってあげようかね」

「別に占いには興味が無い」

「ふぇっへっへ、そう言わず、少しそこへ座りなさいな」

別に急いでいるわけでもなかったので、占い師の言う通りに対面に置かれてある椅子へ腰かける。それにもしかしたら今後のためになる情報を入手できるかもしれないと思った。

「ふぇっへっへ。ではやるぞい」

水晶玉に手を当てて集中しだした。日色は腕《うで》を組みながらその様子を黙《だま》って見ている。しばらくして、相手が感心するような声音《こわね》で喋《しゃべ》ってきた。

「…………ほう、これは変わった星の定めをお持ちのようだねぇ」

「変わった？」

「ふぇっへっへ、人は皆《みな》、己《おのれ》の心に星を宿しておる。形、色、大きさ、輝《かがや》き、それら全《すべ》てが百人いれば百通り違《ちが》う。ワシの占いではそれを視《み》る。だが、ワシは今まで多くの者を占ってきおったが、ここまで力強い星は初めて視るわい」

「ふぅん」

「力強く、そして燃えるような赤を抑《おさ》え込むようにして、その周りを黒のような青が支配しておる。形は一辺の角も無い純粋無垢《じゅんすいむく》な球体。そしてその輝きは見る者の目を醒《さ》ますような眩《まばゆ》い光。そうか……そなた、この国ではなく、いや、この世界の者ではないな？」

瞬間《しゅんかん》ガタッと音を立てて立ち上がる。どうしてこの占い師がそのことを知っているのか疑問に思った。

城から出て来てそう時間は経《た》っていない。一介《いっかい》の占い師が、王族の行いについて知っているものなのかと警戒《けいかい》した。

(占いでそんなことが分かるのか？　いや、これもまさか……魔法《まほう》か？)

そう思い、目つきを鋭《するど》くさせて睨《にら》みつける。知られても構わないとは思うが、つい身構えてしまう。

「……座りなさいな。別に口外しようとも思っておらん。それにだ、異世界人は確かに珍しいが、何も初めてというわけではない」

「……婆《ばあ》さん、アンタ過去に？」

「ワシが若い頃《ころ》に一度だけな。その時の御方《おかた》も、そなたのように変わった星をお持ちだった」

言っていることが本当かは分からないが、何となく興味を惹《ひ》かれるものが占い師にはあった。だからもう少しだけ付き合うのも悪くないと思い腰《こし》を椅子へと下ろす。

「……そうか。それで？　占いの結果は？」

「ふぇっへっへ。そなたはこれから、いや、もうすでに自由の翼《つばさ》を手に入れただろう。その翼はどこまでも大きく、そして強く温かく成長していく」

何を言っているのか分からないが、貶《けな》されているわけではないようだ。あくまでも占いなので話半分に聞いておこうと思った。

「その翼を求めて、多くの者がそなたという光のもとに集まるかもしれん」

「いや、それは困るぞ。オレは基本一人が好きだしな」

「ふぇっへっへ。まあ、これは無数に分岐《ぶんき》する未来の可能性の一つさ。今日ここで話を聞いたことで、その未来はそなたの近しいものになった。ただそれだけさね」

「ん～よく分からんが、オレは自分のやりたいようにやるだけだ」

「ふぇっへっへ。それでよい。ところでそなたは聞きたいことがあるのではなかったか？」

「まあな。婆さんの言う通り、オレは異世界人だ。その世界では魔法なんてものは無かった。だから魔力があるとか言われてもピンとこないし、使い方も分からないんだ。一刻も早くそのやり方を覚えなきゃならないと思ってたんだが……」

「ほう、なるほど。魔法が無い世界か。興味深いねぇ」

そこで思いついたことがあり、駄目《だめ》で元々それを口にする。

「なあ、もし良かったら魔力の使い方を教えてくれないか？」

「べつにええよ」

断られるかもと思ったが、どうやらご教授願えるそうだ。

「魔力というのは、どこから生まれてくるか分かっておるかい？」

「知らん」

だから聞いているのだがとは言わなかった。

「心臓とか脳とかか？」

「いやいや、魔力というのは血液から生まれるのさ」

「血液？」

「そう、生物が皆、等しく持っている血液。それが魔力の源よ」

「へぇ」

「だから魔力を練る時は、自身の体に流れている血流を意識するのさね」

「血の流れをか？」

「そう、見てごらんよ」

占い師は開いた手を見せてきた。そして掌《てのひら》の中心から、青い煙《けむり》のようなものが流れ出てくる。次第《しだい》にそれは形を成していき、手の中で球体状になる。

「これが魔力さね」

「……すごいな！　こんなハッキリと見えるものなのか？」

「まあ、ここまでハッキリと視認《しにん》できるようにするにはそれなりの訓練が必要だが、これも流れを意識して手の中に集まるようにイメージしたからさね」

「イメージねぇ」

「魔法はイメージの力。そして流れの力。この球体の魔力の中には、今も血の巡《めぐ》りのように魔力の流れが形作られておる」

「何だか難しい話だが、大体は理解できた。要するに、血液＝魔力と捉《とら》えても間違《まちが》いじゃないってことだな」

「その通りさね」

「そして魔力を扱うには、血が全身を流れているのをイメージとして感じ取り、それを意識すれば……」

　人差し指だけに血の流れが向かうようなイメージを作る。すると指先がポワッと青白く光り、ほんの少しだけ温かみを感じる。

「こんなこともできるってわけか。なるほど、これが魔力か！」

　日色は感動を覚えて目を輝かせているが、目の前にいる占い師は口をポカンと開けて驚《きょう》愕《がく》している。

「お、驚《おどろ》いたぞ！　そなた、魔力を扱うのは初めてだと言っておったな？」

「ん？　ああ」

「それなのにもうコントロールできておる。余程《よほど》イメージ力が強いのだろうねぇ」

「まあ、これでも本の虫だからな。想像力には自信がある」

本は文字を読んだだけで頭の中にシーンを描《えが》くことを必要とされる。

そこはどんな場所で、誰《だれ》が、何を、など文字の羅列《られつ》から状況《じょうきょう》を読み取り、頭の中で映像化していくには、やはりイメージ力が必要になる。

幼い頃から本の虫だったため、そういったイメージする力が相当に鍛《きた》えられたのだ。というより、それが自慢《じまん》できる唯一《ゆいいつ》の長所だと本人は思っている。

イメージするのを止《や》めると指先から温かさと光が消えた。

「感謝するぞ婆さん。お蔭《かげ》で魔力がどういうものか理解できた」

「ふぇっへっへ、それは良かった」

「それとあともう一つ、魔法を使う時は、さっきみたいに魔力の流れを意識して、呪文《じゅもん》とか唱えればいいのか？」

「間違ってはおらん。見ておれ、《ファイアボール》」

占い師が人差し指を立て唱えると、指先にはちょうどテニスボールくらいの大きさの火の玉が出来上がっていた。

「ほうほうほうほう」

日色は物珍《ものめずら》しそうに感嘆《かんたん》の声を上げる。初めて経験する魔法に俄然《がぜん》興味が湧《わ》く。知的好《こう》奇《き》心《しん》が疼《うず》いて仕方が無い。

「今はこの大きさだが、イメージと魔力《まりょく》次第でその質、大きさは変わる」

「なるほどな。でもま、オレには《ファイアボール》は使えないな多分」

「ん？　もしかして属性が違うのかい？」

「ああ、無属性だ」

「……これまた珍しい属性だねぇ。無属性は例外なくユニーク魔法使《マジシャン》いになるというが、そなたもしかして……？」

「ユニークマジシャン？　ちょっと待て、ユニークってあれか？　個人だけの特殊《とくしゅ》な魔法のことか？」

ゲームや小説の知識からそう判断したが、どうやら的を射ていたようで老婆《ろうば》は頷《うなず》く。

魔法には、火・水・土・風・雷《かみなり》・氷・光・闇《やみ》の八属性が基本とされているとのことだ。無属性というのは、属性の資質が無いこと。つまり無属性の者は他《ほか》の属性の魔法は使えない。

その代わり、個人にしか扱《あつか》えない魔法の才能がある。それがユニーク魔法、あるいはユニークマジックといい、扱う者をユニーク魔法使《マジシャン》いという。

「ちなみに、ユニーク魔法はこの世界でも貴重な存在さね。というより、コントロールできない者が多い」

「どういうことだ？」

「ユニーク魔法は、例外なく強力なものばかり。そのコントロールも難しいと聞く。そして、ほとんどの者は、自身の魔法を暴発させて《反動《リバウンド》》で命を落としておる」

その話を聞いてゾッとする思いだった。まさかユニーク魔法がそれほどの危険を孕《はら》んでいるとは思ってもいなかったからだ。

「コントロールもそうだが、一番重要なのは知識だよ」

「知識？」

「そう、自分の魔法が一体どういったものなのか。それを正確に把握《はあく》できていない者が、《反動死《リバウンド・デス》》にあってるからねぇ。魔力の知識、魔法の知識、そして自分の知識、全てに精通して初めて一流の魔法使いと呼ばれる」

「なるほどな。婆さん、ためになる話、礼を言うぞ」

「ふぇっへっへ、いやいや、こちらこそ久しぶりにそなたのような光に会えて楽しかったわい」

占《うらな》い師《し》の顔は相変わらず確認できないが、きっと顔を綻《ほころ》ばせているだろうと思うような笑い声を上げる。

「ワシはいつでもここにおるから、何かあったら聞きにくるがええ。もちろん次からは有料だがね」

「ちゃっかりしてるな」

それから占い師と別れ、街の出口へと向かった。


(確か【アソビット高原】は、ここから東にすぐのところだったな)

図鑑《ずかん》で見せてもらった《フクビキ草》を思い出しながら、高原へと歩いて行く。しばらく歩くと、ソレは簡単に見つかった。図鑑で見た通りの形をしていた。

小さな白い蕾《つぼみ》のようなものが先についている。それが辺り一面に広がっていた。

(これは思ったより簡単なクエストだったな)

街からも近いし、こんなに大量にあるのなら探し回さなくてもいい。さすが初心者でも楽にこなせるレベルだと思った。

(周りには誰もいないな)

周囲に気を配り、自分以外誰もいないことを確認してから《ステータス》と念じる。

欄《らん》に書かれてある《文字魔法》のところに視線を動かす。そして軽く指で触《ふ》れる。すると、画面が変わり《文字魔法》の説明文が映し出される。

（やはりクリックしたらヘルプが出てきたか。本当にゲームみたいだな）

したかったことは、何もヘルプの説明を読むだけではない。ここで魔法を使ってみようと思ったからだ。

できればユニーク魔法らしい自分の魔法は、あまり他人に見せたくない。

目立ってしまったら、せっかく自由になれたのに、もしかしたら国王から呼び出しを受けるかもしれないからだ。無視をすればいいが、目立つことがめんどくさいのだ。

（まあ、それも全《すべ》ては魔法次第だけどな）

本当にユニーク魔法が例外なく強力なら、自分が懸念《けねん》している事態を招きかねない。

それに先程《さきほど》の老婆の話ではないが、自分のことを知るためにも、こうして魔法を理解する必要がある。

ただ《反動《リバウンド》》というものがある以上、無茶なことはしないつもりだ。ここでまだ死ぬつもりはないし、少なくとも、自分の魔法がどんなものなのかを知りたいだけなのだ。

《文字魔法《ワード・マジック》》　消費MP　30

指に魔力を宿しイメージを作り文字に起こす。その文字の意味に従って効力が引き出される。理《ことわり》を理解し、強制的に歪《ゆが》めてしまうほどの現象力を引き起こすユニーク魔法である。この魔法は、かつて？％＆ＧＲ！＆＊……

かつての後が何故《なぜ》か文字化けして確認できない。物凄《ものすご》く気にはなったが、それはともかく何となくこの魔法の意味は理解した。

それでも実際に使ってみないと、今思っている見解が合っているかどうかは分からない。

ちなみに《一文字解放》とは、書ける文字の数を表しているみたいだ。

（《文字魔法《ワード・マジック》》……ね。まずはやってみるか）

そう思い、深く息を吸って、占い師の時にやった指先に魔力を宿す方法を行う。先程は少し時間がかかったが、二回目なので案外スムーズに指先に魔力の明かりが灯《とも》る。

（文字……か。何でもいいのか？　だが一文字でイメージした文字の効果を発揮するなら……）

そう思い地面に指で字を書く。すると指でなぞった後が青白く光る。書いた文字は『硬』だ。地面が硬《かた》くなるようイメージして文字に起こした。漢字ならイメージし易《やす》いのだ。

そして「発動しろ、《文字魔法《ワード・マジック》》」と小さな声で呟《つぶや》いた瞬間《しゅんかん》、文字に込《こ》められた魔力が、まるで放電現象のように発生して、パチパチと音を鳴らしながら地面に流れる。

（これでいいのか……？）

そしてコンコンとノックをするようにして地面を叩《たた》く。硬い。物凄く硬い。まるでコンクリートのようだった。先程までは間違いなくただの柔《やわ》らかい土だった。

思わず「おお～」と感動ものの声が零《こぼ》れてしまう。それと、どこまでが効果範囲《はんい》になるのか、歩いて確かめてみた。

カツカツカツ……ジャリ……

どうやら大体畳《たたみ》で四畳《じょう》ほどの範囲の土が硬化《こうか》していた。その上、待っていても元には戻《もど》らないようだ。

光っていた文字は、文字自体が消えて無くなっている。痕跡《こんせき》が無くなるのは便利だと思った。魔法がバレる確率が低くなるからだ。一応『元』の文字で元に戻るか確かめた。

また放電現象が起き、今度は元通りの地面に戻った。なるほど、文字の意味が正確に現象として生み出されている。

（これは思った以上に……チートだな）

自身の魔法の恐《おそ》ろしさに気づいていた。理を理解し、歪めることもできる魔法。それは文字一つで全てのものに影響《えいきょう》を及《およ》ぼすことができるということだ。

例えば、《フクビキ草》に向けて『枯』という文字の効果を与《あた》えれば、文字通り枯《か》れるだろうし、岩石に向けて『割』という文字の効果を与えれば、それだけで真っ二つに割れる。

（そこにある現象を問答無用で変えることができる……それに）

そう思いもう一度指先に魔力を集中させ、今度はある文字を地面に書く。

すると突然炎《とつぜんほのお》が上がり草原を焦《こ》がしていく。書いた文字は『炎』だ。だが今度は一分程度で炎は鎮火《ちんか》した。

（無から有も生み出す……か。とんでもない代物《しろもの》を手に入れたみたいだなこれは）

呆《あき》れるように溜《た》め息《いき》を吐《つ》く。どうやらユニーク魔法は、自分が思った以上にとてつもない威力《いりょく》が込められたものだと認識した。

だが自分の魔法の便利さに喜んでもいた。これならこの世界でも問題無く暮らしていけると思う。万能《ばんのう》な魔法はきっと役に立つ。

（だが、まだまだ謎《なぞ》の多い魔法だということも覚えておく必要があるな。さっきの文字化けにしてもそうだし、これだけの魔法だから多分リスクもそれなりにあるはずだ）

そう思った理由は、体に感じる倦怠感《けんたいかん》だ。どことなく精神的に疲労《ひろう》している感じがするのだ。だから《ステータス》を出して確認してみた。

（やはりＭＰはかなり消費してるな）

フルの時は１２０だったはずだ。それが今は３０になっている。魔法を使ったのは三回。ということは書いてあった通り、一回で３０も消費するということだ。

他の魔法の消費量と比べたいところだが、かなりの消費量だとは考えている。他の値と比べても、ＭＰが多いのは異世界人特有らしい。

恐らく普通《ふつう》のレベル１では、最初から三ケタは有り得ないだろう。それこそＨＰと同等のはずだ。そして個人が最初から使える魔法も、消費量はそれに見合ったものだと思う。

最初から３０も消費する魔法など、今までやったことのあるゲームでも無かった。レベルが上がるにつれて、魔法の強さもそれに伴《ともな》い消費量も増えていくというのが相場だった。

（オレのＭＰではフルの状態からだったら四回か。これは早くレベル上げる必要があるな）

そう、魔法は何度も使えた方がいいに決まっているからだ。《文字魔法《ワード・マジック》》のような万能な魔法なら尚更《なおさら》のことだ。

（とりあえず魔法のことは理解できた。コレを持って帰るか）

袋《ふくろ》に詰《つ》めるだけ詰めた《フクビキ草》を手に持ち、その場から街へと戻る。

こういう場合、近くにモンスターなどがいて、攻《せ》められるのがゲームのお決まりだったりするのだが、嬉《うれ》しいことに何事も無く街まで帰れた。やはりリアルだと感じた。

ギルドへ赴《おもむ》き、クエスト完了《かんりょう》の報告をしに行く。

「ヒイロ・オカムラ様のクエスト内容をご確認致《かくにんいた》します。受注クエスト《フクビキ草の採取》、ランクF。こちらに対象を提示して下さい」

受付嬢《うけつけじょう》に言われて、袋から取り出した《フクビキ草》を大きな秤《はかり》の上に置く。

「……はい、二十二束分ですね。では報酬《ほうしゅう》として7700リギンになります。カードの提示をお願い致します」

カードを手渡《てわた》すと、どこかに行ってしまった。しばらくすると戻って来てカードを返してくれる。

カードの貯蓄金額欄《ちょちくきんがくらん》を見てみるとなるほど、先程まで0だった数字が7700となっていた。

「これでクエスト完了《かんりょう》致しました。お疲《つか》れ様でした」

丁寧《ていねい》に頭を下げると、変わらずの営業スマイルを向けてくる。それを一瞥《いちべつ》して小さく頷《うなず》くとギルドから出て行った。

（さてと、金は一応手に入った。とりあえず飯にするか。こっちへ来てまだ何も腹に入れ

てないしな）

街人に聞き、飯屋を訪ねていく。この【人間国《にんげんこく》・ヴィクトリアス】は、広大な城塞《じようさい》都市として成立している。

商業区、工業区、歓楽《かんらく》区、居住区と区画に分けられ、多くの人物が住んでいるのだ。一つ一つの区が大きく、まるで幾《いく》つもの町が一か所に凝縮《ぎようしゆく》された造りになっているみたいだ。

商業区へ行き飯屋を探し、途中《とちゆう》見つけた飯屋に入る。そこは美味《うま》い魚料理を食わせる店のようだ。魚は好きな方なので、ここに決めてメニューを見る。

だがどれもやはり見たことのない料理名が書かれてある。よく分からないのでオススメと書かれてあるものを注文することにした。値段も手ごろだったし。

「は～い、『やみつき海鮮麵《かいせんめん》』一丁ですね！　かしこまりましたぁ！」

元気よく店員が注文を取る。料理が完成する間に、《ステータス》を確認する。

そこで気になったのはＭＰだ。《文字魔法《ワード・マジック》》を三回使用して、残りは３０だったはずだが、４０まで回復している。

これは恐らく体力と同じく、身体《からだ》を休めていると回復するのだろう。しかし使用してから一時間以上経過して、回復したのが１０なので、効率が良いとは言えない。

（まあ、休めているとはいっても、ＭＰを使っていないだけで街の中を歩き回っていたか

らな）

多分本当の意味で仮眠《かみん》をとったりして、身体を休めれば回復量も違《ちが》うだろう。そう考えていると、湯気を上げながら料理が到着《とうちゃく》する。

器にはたっぷりの海鮮が見え隠《かく》れしている。イクラのような魚の卵に、エビのようなもの、昆布《こんぶ》やワカメのようなものも大量に投入されている。箸《はし》を入れてかき混ぜてみる。

すると強烈《きょうれつ》な海鮮の香《かお》りが鼻腔《びこう》をくすぐる。瞬間お腹《なか》が警報を鳴らしてくる。早く流してこいと言わんばかりだ。フカヒレのような高級そうなものを一かじりする。

「んお！」

つい声を漏《も》らしてしまった。ヒレには味がよく染《し》み込んでいて、口の中に魚の味が広がっていく。臭《くさ》みなど無く、物凄く後を引く美味さだった。

そしてレンゲでスープを飲んでみる。これはもうスープだけでメニューに載《の》せられるほどのものだと感じた。

大量の海鮮の出汁《だし》が流し込まれたソレは、注意しないと一気に飲んでしまうほど喉越《のどご》しが良い。あっさり感が半端《はんぱ》無い。

次は麺だ。何やらよく見ると細かい粒《つぶ》のようなものが練り込まれてある。一口食うと、これまた口一杯《いっぱい》に海の味が広がっていく。

この麺には魚をすり潰《つぶ》して練り込んであるみたいだ。まさに海鮮麺というわけだ。

（なるほど、これはやみつきになってもおかしくは無いな）

ものの数分で平らげてしまった。あと二、三杯《ばい》はいけると思ったが、金にも限りがあるので我慢《がまん》することにした。しかしこれで４５０リギンは安い。

それに何だか体が先程《さきほど》よりも軽い感じがする。どうやら食事をしたことで精神が充実《じゅうじつ》しＭＰが回復してくれたようだ。無論ＨＰも同様に回復した。

（うん、やはり美味いものはそれだけで正義だな）

満足気に余韻《よいん》に浸《ひた》ったその後は宿を探して、しばらくは金集めとレベル上げに集中するかと思いこれからの予定を立てた。


翌日さっそく朝起きてすぐにギルドへ行き依頼書《いらいしょ》を見て、あるクエストを選んだ。

ゴブリン討伐《とうばつ》　Ｅ
クリエールの森に生息するゴブリンを十体討伐望む。
報酬　３５０００リギン

このクエストは昨日も確認済みだった。初心者には手ごろで、しかもなかなかに報酬が良い。

少しレベルを上げてからにしようと思っていたが、向かう途中にでもレベルは上げられると思い選択《せんたく》することにした。それに魔法《まほう》も試《ため》したい。

「ゴブリンは最弱級のモンスターですが、群れで襲《おそ》い掛《か》かって来ますのでご注意下さい」

「ああ」

受付嬢に素っ気なく答えるとギルドを出る。そのまま街の外へと向かいたいところだが、購入《こうにゅう》するものがあるので商業区へと足を運ぶ。

そこでは武器を購入することにして、値段と使い易《やす》さを考慮《こうりょ》してソリッドナイフという武器を手に入れた。

防具はどうしようかと思い思案する。盾《たて》でも購入しようかと悩《なや》んでいたが、いざとなったら《文字魔法《ワード・マジック》》を使えばいいかと判断してこのまま出掛けることにした。

街から出て西にある【クリエールの森】を目指す。【トール街道】という道を真《ま》っ直《す》ぐ行けば到着できる。

昨日宿屋を探している途中に雑貨屋へ行き、一応ＨＰ回復薬として《カリカリ豆》を五つに、MP回復薬として《蜜飴《みつあめ》》を三つ、そしてこの世界の地図を購入した。

必要経費とは言っても、ナイフも予想以上に高くて、これでものの見事にすっからかんになってしまった。

是《ぜ》が非《ひ》でもクエストを達成して金を得なければ野宿になってしまう。それはそれで楽しそうだが、いきなりド級の貧困《ひんこん》生活は勘弁《かんべん》してほしかった。

しばらく歩いていると目の前に変な物体があるのを発見する。

（何だコレ……？）

大きさはバレーボールくらいだ。しかし形は決まっていなく、プニプニウネウネした水色の物体が目の前で立ち塞《ふさ》がっていた。

（おいおい、コイツってまさか……？）

あのRPGで有名な初心者用のレベル上げモンスターである――

「スライムかっ！」

興奮気味に声を出す。するとその声に驚《おどろ》いたのか、急にこちらへ向かって突進《とっしん》してくる。

「おいおい、いきなり戦闘《せんとう》開始かよ！」

鞘《さや》からソリッドナイフを抜《ぬ》く。相手の動きは遅《おそ》い。しかしあんな気味の悪そうな感触《かんしょく》で体当たりされたらと思って寒気がする。

モンスターが跳《と》び上がった瞬間《しゅんかん》、それに目掛《めが》けてナイフを振《ふ》り下ろす。ブシュッとあまり手応えは感じなかったが、スライムらしきものは真っ二つになった。

二つになったソレはまだウネウネと動いていた。ハッキリ言って気持ちが悪い。

「まさか分裂《ぶんれつ》して二体になりましたとかじゃないよな？」

それだと刃物《はもの》が効かないということなので、どうしようかと思案していると、モンスターは苦しそうに地面の上でウネウネと動き回り、やがて停止した。

恐《おそ》る恐るナイフで突《つつ》いて確かめてみる。………………動かない。

（あ、いやそんなことよりもコッチで確かめた方が早いか！）

そう思い《ステータス》を開く。するとＮＥＸＴ（レベルアップまでの経験値）が１０だったのに、今では８になっている。

経験値が入っているということは、モンスターを仕留めたということだと判断する。

「おお～、というかやはりモンスターだったんだな。ゴブリンと同じく最弱級のモンスターだろうな。経験値たったの２だし」

だが初めてのバトルで勝利を収めた感覚は、何だか充実感《じゅうじつかん》があった。少しは心が痛むかと思ったが、案外平気だった。

「……やはりまだゲーム感覚……というかどことなく他人事《ひとごと》みたいな感じだな」

冷静に分析《ぶんせき》していると、またも背後からガサガサッと音がする。振り向くとそこにはまたもスライムがいた。しかも今度は三匹《びき》だ。

「これはレベル上げにはもってこいだ。だがどうせなら四匹《ひき》出てきてくれよな」

それならレベルアップできたのにと内心で舌打ちする。するとそれをあざ笑うかのように背後からもスライムが三匹現れる。日色は完全に囲まれてしまった。

「おいおい、初心者にいきなり挟《はさ》み撃《う》ちか？」

愚痴《ぐち》を溢《こぼ》しながらも、まずは目の前の三匹を倒《たお》すことに専念する。一匹《びき》、二匹と剣《けん》でぶった斬《ぎ》ったところで、ドスッと背中に衝撃《しょうげき》が走る。

どうやらスライムの突進攻撃《とっしんこうげき》を受けてしまったようだ。

「くぅ……案外痛いなこれは……」

普通《ふつう》に誰《だれ》かに殴《なぐ》られたような衝撃である。少し離《はな》れて《ステータス》を確認する。するとHPが3も減っていた。

「これはウカウカ遊んでる場合じゃないか」

気を引き締《し》め直してナイフを構える。二匹同時に突撃《とつげき》してきたので、それを避《さ》けて一匹を即座《そくざ》に斬り裂《さ》く。だがまたも背後に他《ほか》の二匹が迫《せま》ってくる。

「痛いのは勘弁《かんべん》だからな！」

振り向き様《ざま》にナイフを振ると、二匹同時に斬ることができた。あと一匹。日色は自分から突っ込み絶命させる。

頭の中でピッピッピロロロロ～ンという力が抜ける音がした。《ステータス》を開く。もしかしたらと思っていたが、やはりレベルアップの音だったらしい。レベル2になっていた。

「やはりさっきの音はレベルアップした音か。それにしてもMPの上がり方が凄《すご》いな。一気に25も上がるなんてな。ま、こっちとしては大歓迎《だいかんげい》だが」

しかし、このレベルのシステムというものはどういった基準で設定されているのか疑問に思った。

国王たちから説明されたのは、この《ステータス》というシステムは、この世界を創《つく》った神が作ったとされているらしいということだ。

（神とやらの存在が本当にいるか知らんが、詳《くわ》しいことは国王もよく分からんとか言ってたし、今は気にするようなことでもないか）

そのまま現れてくるスライムを倒しつつ【クリエールの森】へと向かった。

【クリエールの森】に着いたはいいが、どこにゴブリンがいるのか分からなかった。あれから何度かスライムを倒してレベルは3に上がっていた。

仕方無く、周囲を警戒《けいかい》しながら森を進んでいく。迷わないように木に傷をつけていく。帰る時はコレを目印にすればいい。

するとまたガサガサッと茂《しげ》みが揺《ゆ》れる音がする。ゴブリンかと思い構えたが、またもスライムだった。

「……またお前か」

そろそろ飽《あ》きたなと思いながらも瞬殺《しゅんさつ》する。もう慣れたものだった。クエスト内容はゴブリン十体討伐。倒した証拠《しょうこ》として《ゴブリンの歯》を持って帰る必要があるのだ。

ちなみにスライムも一応討伐部位として《スライムの身》があるのだが、そんなものは気持ち悪くて触《さわ》りたくなかったので放棄《ほうき》した。

森を進み、歩いているとまたもスライムが現れる。しつこいなと苛立《いらだ》ちを覚えた瞬間、横の茂みから何かが現れる。そして武器のようなもので殴りかかってくる。

ブオンッ！

咄嗟《とっさ》に体を傾《かたむ》けて避けたが、空気を震《ふる》わせたその音を聞いてじんわりと冷《ひ》や汗《あせ》を流す。

（あ、危なかったぁ……そうか、あれがゴブリンだな）

図鑑《ずかん》で見せてもらったモンスターの姿と一致《いっち》した。身形《みなり》は人間の子供のように小さいが醜悪《しゅうあく》な顔をして、手にはゴツゴツした棍棒《こんぼう》を持っている。

(アレで殴られたらかなり痛いだろうな……)

ゴブリンを睨《にら》みつけていると、背後にまたも衝撃が走り呻《うめ》き声を上げてしまう。スライムのことを完全に失念していた。しかもその隙《すき》にゴブリンも向かって来る。

(くっそ！　確かゴブリンは群れで行動するんだよな。ノロノロしてられないか！)

ソリッドナイフを構え棍棒を受ける。ギギギと歯ぎしりするような声を出すゴブリン。その口元から涎《よだれ》が垂れている。絶対に嚙《か》みつかれたくないなと強く思った。蹴《け》りを加えてゴブリンを前方へと飛ばす。

(ふぅ、人のような姿をしたモンスターか……殺《や》れるか……オレに)

自分に問いかけ目を細めながらゴブリンを見つめる。無論日本にいた時、殺人などしたことはない。虫を殺したことはあっても動物はない。

そんな自分がモンスターとはいえ、人の姿に似た生物の命を奪《うば》うことができるか不安だった。

「……はぁ、オレはここで生きていくつもりだ」

自分に言い聞かせるように言葉を吐《は》くと、ギロリと敵を睨む。

「悪いな……オレの礎《いしずえ》になれ」

全力で大地を蹴りゴブリンに向かう。何故《なぜ》か知らないが、日色はAGI《素早さ》が高い。ゴブリンはそのスピードに面喰《めんくら》ったかのように動かない。

ブシュゥゥゥウゥッ！

ゴブリンの首を寸断するが、噴《ふ》き出した血の量とニオイに少し吐き気を感じる。しかしそれは胸の中に呑《の》み込み、キッとゴブリンを睨む。

「くっ！　次はお前だ！」

そのままスライムも倒す。するとまたもレベルアップの音が頭の中で鳴る。これでレベルは4になった。順調に上がっている。

だが喜びも束《つか》の間《ま》、前方からぞろぞろとゴブリンが姿を現してくる。どうやら先程《さきほど》の戦闘で気づかれたようだ。

だがコレを待っていたのだ。魔力《まりょく》を指先に集中させる。そして地面に素早《すばや》く文字を書く。

ゴブリンが数体纏《まと》めて向かって来る。

（よし……そのまま来い！）

すぐ目の前までゴブリンが来た時、

「発動しろ《文字魔法《ワード・マジック》》！」

叫《さけ》ぶと文字から放電現象が起きる。そして次の瞬間、地面から鋭《するど》いものが複数出現し、ゴブリンの体を突《つ》き刺《さ》していく。

「ふぅ、成功したみたいだな」

ゴブリンは痛みに歯を噛み締めながら必死に動こうとしているが思い通りに動かせない。次第に動きが止まり絶命していく。

書いた文字は『針』。範囲《はんい》は『硬』の時と同じく書いた所から前方に畳《たたみ》で四畳《じょう》くらいの大きさだ。そこにゴブリンたちが入ってくるのを待っていた。

まるでサボテンのようになった地面は、そこに入って来たゴブリンたちを刺殺《しさつ》した。

（くぅ……思ったより精神的にきやがるな）

ゴブリンたちは貫《つらぬ》かれた部分から夥《おびただ》しい血液を流している。それを見てこれが実戦だということを強く意識させられる。

これは自分がやったこと。そして下手をすれば自分もこうなる。それを強制的に理解させられた。

（ふぅ、とにかく今はまずやることをやる！）

こんなところで死ぬわけにはいかないし、逃《に》げたくも無い。だから攻撃《こうげき》意思を宿してすぐに次の行動に移る。まだまだ周囲にはゴブリンがいる。

だが日色の奇妙《きみよう》な攻撃に戸惑《とまど》っているのかなかなか攻《せ》めてこない。

「それじゃ次の実験だ」

そう言いながら今度は拾った石に文字を書く。今度は『止』だ。上手《うま》くいけば相手の動きが止まるかもしれない。

その石をゴブリン目掛《めが》けて投げつける。それがゴブリンの肩《かた》の辺りに当たった瞬間《しゅんかん》に発動する。

「止まれ！《文字魔法《ワード・マジック》》！」

こうして声に出して言っているが、別に心の中で念じても発動することは確認《かくにん》してある。だがこうやって言葉に出した方が雰囲気《ふんいき》が出るので、つい恥《は》ずかしげもなく言ってしまうのだ。

しかし止まったのは石だった。石は空中で時間が止まったように動きを止めている。

（なるほどな、魔法を流すことはできないか）

石に書いてしまった以上、その石そのものにしか効果は反映されないのだと判断した。できるなら石に書いた文字の効果がゴブリンにも効いてほしかったがそうはいかなかったようだ。石そのものにしか効果は無く、その効果をゴブリンに流すことはできなかった。

（なら次だ！）

今度はナイフの刀身に『伸』と書く。更《さら》にナイフを構えて体をコマのように回転させる。

「伸《の》びろ！《文字魔法《ワード・マジック》》！」

ビュゥウゥウゥウゥン！

瞬間、刀身は何倍にも伸びて、距離《きょり》を取っていたはずのゴブリンたちはその刃《は》に体を斬られる。一気に三体を仕留めた。残りは見たところ三体いる。

「クエストだと十体だからあと二体でいいが、全員逃がしはしないぞ！」

長くなったナイフを振《ふ》り回しゴブリンたちを屠《ほふ》っていく。途中《とちゅう》でレベルアップの音が鳴り響《ひび》いたが気にせず倒すことに専念する。

全《すべ》て倒し終わった後、《ゴブリンの歯》を回収する。上顎《うわあご》の一つだけ黒く尖《とが》っている歯を取ればいいとのことだった。その前に『元』の字を使ってナイフを戻《もど》した。

回収し終わり、途端《とたん》に全身を脱力感《だつりょくかん》が襲《おそ》う。MPもすっからかんだ。なのでMP回復薬である《蜜飴《みつあめ》》を口にする。ほんのり甘い飴だった。体の脱力感が少し和《やわ》らぐ。

(そういや、地面も元に戻せるか試しておくか)

回復はしたので『元』の文字を使うと、思った通り地面も元通りになった。

しかしこれだけ動いたのも久しぶりだが、やはりモンスターとはいえ虐殺《ぎゃくさつ》に近いことをしたのが精神的に堪《こた》えている。

「ふう、オレはもっと感情が乏《とぼ》しいと思ってたんだがな」

大量の血のニオイ、肉を斬り裂く感触《かんしょく》、断末魔《だんまつま》の声、死体、どれも平和な国に住んでいた日色にとっては凄《すさ》まじいほどの衝撃を与《あた》えるものだった。

やはりこれはゲームではないと、痛々しいまでに現実感を突《つ》きつけてくる。

思ったよりも体も疲弊《ひへい》しているようで、一所《ひとところ》で腰《こし》を下ろし休憩《きゅうけい》する。だがガサッと音がして、何かがこっちに来ている足音がする。ゴブリンだった。

「あぁ～、なるほどな。慣れるまでやれってか……」

諦《あきら》めたように大きく息を吐き、キッとゴブリンを睨みつける。

「ならやってやろうじゃないか！　どんどん来いよ！　オレを慣れさせるぐらいなぁ！」

半ば自棄《やけ》気味《ぎみ》になりながらナイフを振るっていく。


「あ～さっすがに疲《つか》れたぁ～」

街へ戻って来たのだが、途中ベンチを発見して、そこで身体《からだ》を休めていた。あれからスライムだのゴブリンだのと、心を落ち着かせる暇《ひま》も無く襲ってきた。

全身に返り血を浴びながらも、それらを倒《たお》したのだ。お蔭《かげ》で慣れたは慣れたが、もうクタクタである。

（まあ、レベルはかなり上がったけどな）

これからギルドへ報告しに行くのだが、もう少しだけ休んでからにしようと思った。

返り血を浴びた自分をチラチラと見る者たちがいるが、そんなことが気にならないほどの疲れを感じていた。

（はぁ……そういや、この服の汚《よご》れ……魔法で取れるかもな）

そう思い、人気《ひとけ》の無い場所に移動して服に『清』と書く。そして発動すると汚れていた服が瞬《また》く間《ま》に綺麗《きれい》になっていく。

青白い光の粒子《りゅうし》が体に降り注ぎ、宝石をばら撒《ま》いたかのようにキラキラと光っている。

（これは、体自身に書くと風呂要《ふろい》らずじゃないのか……？）

それも後で確かめようと思った。もしそうなら本当に便利な能力だと嬉々《きき》として喜ぶべきことだ。

ちなみに風呂という文化はあるものの、身分の低い平民などは、日本人が普通《ふつう》と思っている入浴とは違《ちが》い、沸《わ》かしたお湯を体にかけたり、濡《ぬ》れタオルで拭《ふ》くだけのものだ。

無論貴族など、屋敷《やしき》住まいの者たちは、それこそ豪華《ごうか》とも呼ぶべき大きな風呂があり、毎日汗をそこで流しているらしい。

ギルドへ行くと受付嬢《うけつけじょう》は少し驚《おどろ》いたふうに目を見開いていた。何故《なぜ》なら、クエスト条件のゴブリン十体討伐《とうばつ》を、遥《はる》かに上回る数で成功していたからだ。その数二十二体。二十二体分の《ゴブリンの歯》を証拠として提示すると、それを見て、

「よ、よくこれだけの数のゴブリンを討伐なさいましたね。しかもオカムラ様は登録して間もないと言うのに」

「そんなことはいいから、早く精算してくれるか？」

面倒《めんどう》な事になる前に用はすぐに済ませようと思った。受付嬢も、こちらの言葉を受け謝罪しながらもしっかりと仕事をしてくれた。

「達成報酬《ほうしゅう》は３５０００リギンですが、これだけの《ゴブリンの歯》を換金《かんきん》対象としますと、上乗せに１０００００リギン追加できますがどうなされますか？」

「ああ、してくれ」

「では少々お待ち下さい」

そう言ってカードを受け取りどこかへ行った。しばらくすると戻ってきてカードを返してくれる。

きっちりと金が貯蓄《ちょちく》されてあった。消えるように念じるとカードは粒子状になって胸の中に吸い込《こ》まれていった。

これでしばらくは宿屋に泊《と》まれる。それにMP回復薬も相当数買える。今回身に染《し》みたのは、自分にとってMP回復薬は必需品《ひつじゅひん》だということだ。

ただでさえMP消費量が半端《はんぱ》じゃない《文字魔法《ワード・マジック》》を複数回使用するためにも、やはり回復薬は大量に手にしておくべきなのだ。

ちなみにHPと違って、MPは《文字魔法《ワード・マジック》》では回復することはできなかった。さすがに無限チート的な使い方には制限がかかっているみたいだ。

(今回いろんな実験もしたし、そのせいでMP回復薬の重要性も理解できた。とにかく持てるだけ買い込んでおいた方がいいかもな)

そう思い、さっそく雑貨屋へ行き戦闘《せんとう》に必要なものを買う。武器もまた新しく一番安い剣《けん》を購入《こうにゅう》した。それでも3000リギンした。

買い換《か》えた理由は結構刃毀《はこぼ》れがあったからだ。まあ、あれだけモンスターを狩《か》ればそうなる。あとは防護服としてフード付きの赤いローブを購入した。

魔法耐性《まほうたいせい》や意外と防御《ぼうぎょ》力に優《すぐ》れていたので購入したのだ。どこぞの騎士《きし》が着るような感じで少し派手なのは戸惑ってしまったが、ようは慣れだと思い我慢《がまん》する。

(あ、そういや刃毀れしてても、魔法で何とかなるんじゃ……。例えば新品の時を思い出して『新』とか、『元』の文字でもイメージすりゃ多分……それに……)

いろいろ思いつくが、もう剣を買ってしまった後だった。

（まあ、ナイフだったし、今度からはそうするか）

最初は資金が足りなくてナイフを購入したが、金が貯まれば剣を購入しようと思っていたので、今度からは刃毀れしても魔法で試してから買い換えようと判断した。

そして実際に刃毀れして、それを直すために《文字魔法《ワード・マジック》》を試したが、『新』の文字で本当に新品同様になった。自分の魔法の万能《ばんのう》さは止《とど》まることを知らないようだ。

それから一週間、朝から晩までクエストに勤《いそ》しんだ。金とレベルを稼《かせ》ぐためだと思っていたが、やってみるとこれが案外面白いのだ。

見たことも無い草花を発見したり、いろんなモンスターにも遭遇《そうぐう》する。そしてモンスターをどうやって倒そうかと考える考察時間もかなり有意義だった。

決して戦闘狂《せんとうきょう》ではないと思っていたが、これは自分の認識《にんしき》を改める必要があるのかもしれない。

強い相手をどうやって倒すか、これこそＲＰＧの醍醐味《だいごみ》であると感じ、つい気持ちが乗ってしまうのだ。

そしてギルドランクも上がり、Fランクの青枠からEランクの紫《むらさき》枠《わく》になった。金もレベルも相当溜《た》まった。

受付嬢などは期待の新星《しんせい》などと言うが、確かに一週間で二十や三十のクエストをこなしまくる初心者などあまりいないだろう。

(これ以上ここで稼いでいては、国王の耳に入りめんどくさいことになる可能性が高いな)

懸念《けねん》しているのは、それほど逞《たくま》しいのなら勇者と一緒《いっしょ》に、とか言われたら目も当てられないということだ。

自由を束縛《そくばく》されるのだけは勘弁《かんべん》してほしいのだ。せっかく面白くなってきた異世界生活を、義務で削《けず》りたくはない。

(そろそろ頃合《ころあ》いだな)

大きな袋《ふくろ》の中をチェックしながらある決意をする。

(明日《あした》でこの国ともお別れだ)

そう、旅立ちの決意だった。

十分金も手に入った。レベルも上がり18になった。そして何より精神的にタフになってきたと思う。これなら旅の間も生活していけるだろうと判断した。

第二章　旅立ち

翌日、丘村日色《おかむらひいろ》は街の外にある【トール街道《かいどう》】で地図を広げながら唸《うな》っていた。これからどこに行くかということである。

一応候補はある。南に向けて進めば、【人間国《にんげんこく》・ヴィクトリアス】には劣《おと》るが、それなりに大きな街である【フレントア】がある。交易《こうえき》が盛《さか》んな街として有名らしい。

だがそこではなく、このまま西へ向かい【サージュ】に行こうと思う気持ちが強い。【サージュ】は国境近くの街であり、すぐ近くには『獣人族《じゅうじん》』が住む大陸があるのだ。

異世界に来たのだから、是非《ぜひ》とも『人狼族《じんろう》』や『猫人族《ねこびと》』といった『獣人族』という存在に会ってみたいと思うのはごく自然なことだと思う。

しかし今は互《たが》いの国同士で緊張《きんちょう》状態にある。易々《やすやす》と国境を渡《わた》れるとは思えない。しかし、冒険者《ぼうけん》をしていてこんな話も聞いた。

確かに国同士は互いに牽制《けんせい》し合ってはいるが、冒険者には『獣人族』も多くいるし、『人間族』の冒険者と仕事をともにしていることもあると。

個人と国とでは、やはり意識に齟齬《そご》が生じているのだと思った。いわゆる国の意が、種族の総意ではないということだ。手を取り合っている者たちもいるのである。

だが今の世の中、やはり他種族のことを忌《い》み嫌《きら》う者も多い。特に戦《いくさ》を起こすような行動をしている『魔人族《まじんぞく》』については良い話は聞かない。それでも日色は思う。

自分の目で確かめなければ何とも言えないと。そもそも他人の評価など興味が無いのだ。自分で経験して考え、答えを出すことが、自分の信念であり誇《ほこ》りだと思っている。

ということで、結局は【サージュ】に行くことにした。国境越《ご》えも必要があれば何とかできるだろうと考え決断したのだ。

だが【サージュ】まではかなりの距離《きょり》がある。結構な旅になるなと覚悟《かくご》し足を動かしていった。途中《とちゅう》には以前行ったことがある【クリエールの森】も存在する。

今では何の警戒《けいかい》もいらない森だが、そこを突き進む必要があるのだ。森に入り、襲《おそ》ってくるモンスターを無傷で倒していく。

あっさりと森を抜《ぬ》けると、そこには【テンバス街道】が繋《つな》がっていた。ここを真《ま》っ直《す》ぐ行くと【アメス】という小さな村がある。そこで一泊《いっぱく》して、明日また進もうと考えていた。

【アメス】ではさっそく宿を探し歩いた。幸いなことにほとんど旅行者が立ち寄らないのか宿は空いていた。使われているのは二部屋だけだった。

「一部屋頼《たの》む」

「え、あ、はい。あ、あの……冒険者の方……でしょうか？」

「そうだが？」

「そう……ですか」

「……？」

何やら歓迎《かんげい》されていない雰囲気《ふんいき》を感じて首を傾《かたむ》けてしまう。この村に来るのは初めてだし、自分が何かをしたわけではない。

それなのに、宿主《やどぬし》から不安気な態度で接せられてしまっている。気にはなったが、とりあえず宿を取って村の中を一通り見て回ることにした。

しかしここで妙《みょう》な事に気がついた。何やら先程《さきほど》から視線を感じるのだ。しかもあちこちから。まるで招かれざる客が来たみたいな感じの雰囲気が漂《ただよ》っている。

宿を取る時も嫌《いや》な顔をされた。この村は他所者《よそもの》を歓迎しないのかもしれない。

「なあ、にいちゃん」

そんな矢先、誰《だれ》かに背後から声を掛《か》けられた。振《ふ》り返ってみると子供がいた。七歳くらいの男の子のようだ。こちらを不審者《ふしん》を見るような目つきで睨《にら》んでいた。

その態度が気にくわなかったのでスルーすることにした。

「おい、ムシすんなよ！」

怒《おこ》られてしまった。何故《なぜ》ガキを相手にしなければいけないのかと思い溜め息を漏《も》らす。

「何だガキ」

「ガキっていうな！　そっちこそヘンなあかいふくきやがって！　イカクしてんのかよ！」

「………牛かお前は」

別に威嚇《いかく》のために赤を纏《まと》っているわけではない。ただ単に防御服として優れているから着ているのだ。

ここ最近ずっと赤いローブを着用しているので愛着が湧《わ》いてきているのも事実だが。下は黒の学ランなので何ともシュールな組み合わせだが全く気にしてはいない。

「にいちゃん、ボウケンシャだろ？　こんなとこになにしにきたんだよ！」

「こんなとこ？」

「こら！　こんなとこっていうなぁ！」

「お前が言ったんだろうが」

何故コイツはこんなにも食ってかかるような言い方をしてきているのか……。考えても答えが出ないので、やはりめんどくさいと感じ無視して歩き出した。

「お、おいちょっとまてよ！」

無視無視。

「だからまてってば！」

スルースルー。

「だから、おい！　おれのはなしをきけよ！」

空気空気。

「おい……なあ、おねがいだからさ……ムシしないでくれよぉ」

声が段々震《ふる》えてきた。自分があまりにも相手にされないので悲しくなってきているようだ。軽く溜め息を吐《つ》き、足を止める。

「何の用だ一体？」

ここで大泣きでもされたら村に居辛《づら》くなると判断し無視を諦《あきら》めた。すると少年はパアッと顔を明るくさせる。だがすぐにまたキッと睨んでくる。

「も、もう！　にいちゃんはイジワルだ！　ボウケンシャはみんなそうだ！」

「オレはオレだ。他《ほか》の奴《やつ》らと一括《ひとくく》りにするな、不愉快《ふゆかい》だ」

不機嫌《ふきげん》そうに視線をぶつけると、少年はビクッとして竦《すく》んでしまった。第三者から見れば、完全に子供を苛《いじ》めているような図だ。

「……はぁ、それで本当に何の用だ？　オレは村を見て回るのに忙《いそが》しいんだが？」

「え？　むらをみてまわるってなんでさ？」

「何でもいいだろ？　ガキには関係無い」

「う……うぅ……」

またも涙《なみだ》目になったので、ついこめかみを押さえて仕方無く相手をする。

「はぁ、ただの暇潰《ひまつぶ》しだ。オレはさっきこの村に来たばっかだ。旅の途中でな、今日はここで一泊する予定だ」

「なんだ？　にいちゃんはむらにナンクセをつけにきたんじゃねえのか？」

「難癖《なんくせ》？　何のことだ？」

少年が言うには、最近ある冒険者がこの村に立ち寄って雑貨屋や武器屋に押し入り、品物を強引《ごういん》に値切って好き放題にやったらしい。

「そいつらはふたりぐみでさ、やどにもイチャモンつけて、ただでとまってるみてえだし」

「何で拒否《きょひ》しないんだ？　何なら村人総出《そうで》で追い出せばいいだろ？」

「それができないんだよ」

問いに答えてくれたのは少年ではなかった。

「あ、パニスのおっちゃん！　とおまけのココ」

パニスと呼ばれた男は三十代の後半くらいに見えた。実際にはもっと若いのかもしれないが、表情が暗く陰気《いんき》が漂っていて老《ふ》けて見えている。

そしてその隣《となり》にいるのは、生意気な子供と同じ年頃《としごろ》の可愛《かわい》らしい女の子だった。

「もう！　どうしておまけなの！」

頬《ほお》を膨《ふく》らませて目を吊《つ》り上げている。子供同士で口喧嘩《くちげんか》をしているのをチラリと見てからパニスという男に視線を向ける。

「アンタは？」

「君は冒険者だね。私はパニス。しがない店を経営してる者だよ」

ということは二人組の冒険者の被害《ひがい》に遭《あ》った人物だということだ。

「コイツの話は本当なのか？」

「ああ、本当だよ。今も雑貨屋で品定め中さ」

「……追い出すことができないと言ったな？　どういうことだ？」

「アイツら、どういうわけか村の権利書を持ち出してきたんだよ」

「は？　何故そんな奴らが権利書を持ってる？　普通《ふつう》は村長が保管するものじゃないの

か？」

「そうだよ。だがいつの間にか村長の家に保管していた権利書が無くなっていてね……」

つまりその二人組が盗《ぬす》んだというわけだ。

「不用心だな。まさに自業自得《じごうじとく》だ」

「ハハ、返す言葉もありませんな」

またも新たな人物がこちらの声に反応を返した。

「君が先程やって来たという旅行者ですな？　ワシはこの【アメス】の村長、ブライと申します」

「村長どうしてここに？」

パニスが聞く。

「なあに、お主と一緒《いっしょ》だよ。冒険者が来たって知らせてくれたのでな。様子を見に来たんだ」

日色がこの村に到着《とうちゃく》して、すぐさま村長に報告されていたらしい。彼《かれ》は突然《とつぜん》現れた冒険者を自分の目で確認《かくにん》するためにやって来たようだ。

どうやら日色がただの冒険者のようでホッとしているみたいだ。

バキィイッ！

突然木が割れる音が響《ひび》く。その場にいた者全員がハッとなり音の方向を見てみると、一《いっ》軒《けん》の家からドアをぶち破り誰かが吹《ふ》き飛ばされていた。

「ミック！」

村長が目を丸くしながら叫《さけ》ぶ。ミックという男は、地面に投げ出され蹲《うずくま》っている。そして吹き飛ばされた家から二人の人物が出てきた。

一人は太っていて頭がツルツルで、もう一人はツンツンとしたホウキのような髪型《かみがた》をした細身の男だ。ホウキ頭はミックを見下ろしながら唾《つば》を吐きかけている。

「けっ！　もう一度言ってみやがれ！」

細身の男、ツンガリと呼ぶに相応《ふさわ》しい男が凶悪《きょうあく》そうな顔で睨みつけている。隣では恐《おそ》らく店の物であろう果実に美味《うま》そうにかぶりついている、日色が心の中でツルデブと名付けた男がいた。

「ひぃっ！　で、ですがもうこれ以上は！　こちらも商売なんです！」

ミックは必死に嘆願《たんがん》するように頭を下げている。恐らく無料《ただ》で店の物を寄越《よこ》せとか言われたのだろう。それを拒否しているのだ。

しかしツンガリはイラッとして額に青筋《あおすじ》を浮《う》かべるとミックの顔を蹴《け》り上げる。鮮血《せんけつ》が辺りに飛び散る。するとそれを見た村長が慌《あわ》てて彼らのもとへ向かう。ツンガリが、現れた村長を鋭《するど》い目つきで睨みつける。

「ああ？　何だ村長さんよぉ？　何か文句でもあんのか？　おお？」

まるで三流のヤクザ、いや、ちゃちな不良《ちんぴら》だなと日色は冷静に見つめている。

「お、おで、もっと食いたい」

ツルデブが涎《よだれ》を垂らしながら店の方へ戻《もど》ろうとする。恐らく食べ物をあさりに行きたいのだろう。

「おい弟よ、いい加減にしてそろそろ行くぞ」

「お、おで、腹減った」

「チッ、じゃあさっさと平らげろや」

「分かった」

「もう止《や》めてくれ！」

村長はとうとう見かねて叫ぶが、ツンガリの睨みによりたじろいでしまう。周りにいる他の者も男の殺気にビビッて近づいてこない。

（どうやら権利書が理由だけでなく、アイツらに敵《かな》わないから泣き寝入《ねい》りしてるらしいな）

腕《うで》の立つ人物が村にいないので、二人組に挑《いど》んでも殺されると思い、村人たちは反抗《はんこう》しようとしなかったのだろう。

(国軍にでも頼《たの》めばと思ったが、そんなことをすれば、権利書を持って逃《に》げられてしまうかもしれないしな。それに報復されるかもしれない。一番良いのは誰かがアイツらを討伐《とうばつ》することなんだが)

そう考えていると隣にいる少年がこちらを見上げている。まるで何とかしてくれと懇願《こんがん》しているようだ。

「何を願ってるのか知らんが、オレには関係無いことだからな」

「なっ！　それでもにいちゃんはニンゲンなのかよ！」

「ちょっと、やめなよニース！」

ココという少女が少年のことをニースと呼んだので、そこで初めて名前が分かった。

「何だ？　モンスターにでも見えるか？」

「みえるよ！　どうしてたすけてくれないのさ！　おんなじボウケンシャなら、アイツらをとめてよ！」

ニースの言葉に、ココも落ち着かない様子でこちらを見つめてくる。ニースには止めろと言ったが、やはり期待感がその目に宿っている。

「……いいかガキ、オレは確かに冒険者《ぼうけんしゃ》だが、別に正義の味方じゃない。無償《むしょう》の正義なんては勇者にでも頼め」

腕を組みながら平然と言ってのける。ニースは怒《いか》りのこもった視線をぶつけてくるが、痛くも痒《かゆ》くもない。

「な、なんでそんなこというんだよ！　たすけてくれたっていいじゃんかぁ！」

「断る。オレを動かしたければ、オレが納得するような対価を払《はら》うんだな」

「た、たいか？　な、なんだよそれぇ！　あ～もういいよ！　どうせボウケンシャはみんなオマエみたいなヤツらばっかだ！」

そう言ってニースはツルデブたちの方へと向かって行った。

「ニース！　どこいっちゃうの！」

「あ、こらニース！　そっち行っちゃいかん！」

ココが叫び、パニスも止めようとするが、ニースは全力で走って行った。そしてパニスはこちらを歯《は》嚙《が》みしながら睨《にら》みつけてくる。だがすぐに力を抜《ぬ》き溜《た》め息《いき》を吐《つ》く。

「いや、分かってるんだ。君には関係無いことだ。物語のような、人のために無償で働く勇者なんていないんだ」

「そうだな。そんな存在がいるかどうかは知らんが、オレは違《ちが》う。オレは無償で働くなんてゴメンだ」

これはありきたりな英雄《えいゆう》物語ではない。戦いには危険が付き纏《まと》う。それなのに無償で戦うという選択《せんたく》は日色にはできないのだ。

「お、おにいちゃん……たすけてくれないの？」

ココは上目遣《づか》いで見上げて嘆願してくるが、日色は口を噤《つぐ》む。そして段々と彼女《かのじょ》の目が潤《うる》んでくる。さすがに目を合わせ辛《づら》く、腕を組み目を閉じる。

そんな日色を見て、「うぅ……」と、ココがもう少しで泣き声を上げるかといったその時、

「……無償」

「……は？　何だ？」

突然パニスが声を漏《も》らしたのでつい目を開いて聞き返してしまった。

「無償……じゃなきゃいいのかい？」

何だか嫌《いや》な予感がしてきた。

「ならもし助けてくれたら、私の店にある最高の武具をあげよう」

「…………」

「助けてくれるかい？」

「…………」

パニスは真剣《しんけん》な表情で見つめてくる。

めんどくさいし、ハッキリ言って自分には関係無い。それに最高の武具とやらには興味はあるが別に欲しいとは思わない。

「わ、わたしもおかあさんとつくった、てづくりのおかしあげる！　だから……」

口を一文字に結び、泣きそうな顔を向けてくる彼女の目をチラリと見つめてからパニスと視線を合わせる。

かっちりと合い、逸《そ》らすタイミングが見つからず、しばらく見つめ合うことになった。

しばらくして、根負《こんま》けしたように日色は嘆息《たんそく》する。

「……この村には美味い食べ物や珍《めずら》しい書物とかは無いのか？　オレはできれば武具よりそっちの方がいいんだが？」

「え？　食べ物に書物……かい？」

「おかしならある……よ？」

パニスは眉《まゆ》をひそめ、ココは可愛く首を傾《かたむ》ける。そしてパニスはしばらく考えた後、ポンと手を叩《たた》く。

「この村には代表するような食べ物は無いけど、古い本なら村長が持っているはずだよ。だから頼んでみよう。どうだろうか？」

古い本というのは良い。とても興味がそそられる。あのクズどもを片づけただけで手に入るなら申し分は無い。

「分かった。手を貸してやる。その代わり約束はしっかり守れよ？」

瞬間《しゅんかん》パニスとココは反射的に笑《え》みを浮かべるが、パニスだけはすぐにまた暗くなる。

「た、頼んではみたが、君はその……強いのかい？」

日色を頭から足先まで見て不安そうに聞いてくる。

「さあな。けど、あの程度ならどうとでもなるだろ」

デブガリコンビを見て言う。その自信にパニスはポカンとする。だが無視して日色は足早に向かって行く。

※

ニースは地面に落ちている小石を拾い上げ、ツンガリに向かって投げつける。見事横っ面《つら》に命中してニースは喜んだが、それを見た他《ほか》の村人たちは青ざめる。

「でていけ！　バーカ！」

そしてゆっくりとニースを見たツンガリの表情は語っていた。このガキを殺そうと。

先程まで攻撃《こうげき》が当たって喜んでいたが、ツンガリの殺意を全身で感じ、ニースは足が竦《すく》んでしまう。

「や、止めて下され！」

慌てた村長が庇《かば》うようにして立ち塞《ふさ》がるが、「邪魔《じゃま》だ」と拳《こぶし》で思いっきり殴《なぐ》り飛ばされてしまう。

そしてツンガリは腰《こし》に携帯《けいたい》している剣《けん》を抜き、ニースに剣先を向ける。恐怖《きょうふ》でガチガチになりニースは動けない。

「ガキィ、覚悟《かくご》できてんな？」

「い、いや……」

涙《なみだ》を流しながら首を振《ふ》っているが、それで止まるツンガリではない。楽しそうに笑みを浮かべながら剣を上空に向けて上げ、そしてそのまま振り下ろす。

ブシュッ！

皆《みな》が息を呑《の》んで目を閉じる。誰《だれ》もがニースの命はここで終わったと思った。

「ぐわぁぁぁっ！　痛《いて》ぇぇぇぇっ！」

血を撒き散らし、痛みにもがいていたのはツンガリの方だった。彼の剣を持った腕を何かが貫《つらぬ》いていた。

それは間違《まちが》いなく刃物《はもの》だった。彼の腕から突《つ》き出た刀身から真紅《しんく》の液体が滴《したた》り落ちている。皆も唖然《あぜん》としてその異様な光景を眺《なが》めていた。

何故《なぜ》なら彼の腕を貫いているのは確かに刃物なのだが、刀身の長さが明らかに長過ぎる。

そしてその刃《は》の先、誰かの攻撃だとしたら、それを成した人物がいるはずだ。皆がその先に一斉《いっせい》に視線を向ける。そこにいたのは、丘村日色《おかむらひいろ》その人であった。

※

（やはり《文字魔法《ワード・マジック》》の『伸』の文字は便利だな）

刀身に『伸』と書いて、刀身を伸《の》ばしたのだ。その長さは畳《たたみ》四畳《じょう》なのは知っての通りだ。

しかしその違和《いわ》感抜群《かんばつぐん》の有り様に、一同は何が起こったのか理解してはいないようだが。

すかさず『元』の文字を書いて元の刀身の長さに戻す。ブシュッとツンガリの腕から刀身は抜き去り、彼は激痛のため呻《うめ》き声《ごえ》を上げて剣を落とす。

ブルブルと腕を震《ふる》わせて、その顔からは相当量の脂汗《あぶらあせ》も滲《にじ》み出ている。

「下がってろガキ」

「に、にいちゃん……な、なんで？」

「無料《ただ》働きじゃなくなったからな。手を貸してやる」

日色が無愛想にそう言うと、ニースは嬉《うれ》しそうにホッとした。

「な、何だぁ！　てめえはぁぁぁぁっ⁉」

目を充血《じゅうけつ》させて目《め》一杯《いっぱい》開けながら痛みに耐《た》え必死に叫《さけ》ぶツンガリ。

「答える義務は無い。早々に――――」

「なっ⁉」

物凄《ものすご》い速さで懐《ふところ》に飛び込《こ》まれ、ツンガリは全く反応できない。そして日色が剣で斬《き》りつける。

「――――潰《つぶ》れろ」

ブシュウウウウッ！

まともに一太刀《ひとたち》を体に受け、左肩《ひだりかた》から右脇腹《みぎわきばら》にかけて鮮血《せんけつ》が飛び散る。そしてそのまま膝《ひざ》を折り地面に崩《くず》れる。

「ば……かな……」

死んだと皆が思ったようだが、ピクピクッと痙攣《けいれん》しているのでまだ絶命はしてはいない。

だが完全に意識は奪《うば》われているようだ。

「やはり、こんなことするような連中だ。大したことなかったな」

するとようやくツルデブも、外の異変に気づき店から出てくる。

「あ……コレ何？　何で兄倒《たお》れてる？」

「そんな疑問はいいからさっさと」

そう言って日色はまたも素早《すばや》く懐へと飛び込む。そして同じように剣を振るが、
キィィィン！

金属音によって阻《はば》まれる。

（コイツ！　中に鎖帷子《くさりかたびら》でも仕込んでるのか！）

体を斬りつけたが、肉を斬った手応えは一切《いっさい》なかった。それどころか鉄に阻まれた感《かん》触《しょく》が手に残る。

「お、おでの服をよくも！」

そう言って破けた服を更《さら》にビリビリと破り出す。おいおい、服のことで怒《おこ》ったんじゃないのかと問いたいが、やはり中に鎖帷子を身に着けていたようだ。

ツルデブは背中に背負っている大剣を取り出すと、ブンブンと振り回してくる。

「う～ん、オレの防御《ぼうぎょ》力じゃ、まともにくらったらアウトかもな」

冷静に分析《ぶんせき》し、一旦《いったん》距離《きょり》を取る。

「お、お前挽《ひ》き肉《にく》にしてやるぅぅぅっ！」

「ぬかせツルデブ、さっさと来い」

「デ、デブ？　ふんぬぅっ！　デブって言うなぁぁあっ！」

力一杯《ちからいっぱい》剣を振ってくる。首狙《ねら》いだと分かったので、屈《かが》んで避《さ》ける。すかさず足を剣で斬ってやる。しかしまたも金属音がした。

「おいおい、このツルデブ、全身を鋼《はがね》で覆《おお》ってるのか？　よく動けるな」

普通《ふつう》は重くて歩くのも億劫《おっくう》になるだろうと思う。しかし動きは鈍《のろ》いが、確かに動いているので、相当の力の持ち主だと判断できた。

「だが、どんな力も当たらなければ意味は無いし。それに、こういう戦い方だってあるんだぞ」

そう言いながら今度は剣を納めて素早い動きで相手を翻弄《ほんろう》する。

「う、うぅ、どこ？　どこ行った？」

日色はその持ち前のスピードで背後を取った。ツルデブはいまだにキョロキョロと日色を探している。指先に魔力《まりょく》を集中させる。そしてある文字を鎖帷子に書く。

素早く離《はな》れると発動と心の中で念じる。するとツルデブは急に顔を真っ赤に染め上げ、地面を転がり始めた。

「あ、あ、あづいィイイッ⁉　な、なにいきなりィ！　なんであづいィイイッ⁉」

書いた文字は『熱』だ。それも鎖帷子が真っ赤になるほどのものなので、熱いどころではないだろう。

突然《とつぜん》地面を転がり出したツルデブの様子に人々は唖然《あぜん》としている。

「よし、これでようやくだな」

ツルデブを見下ろす形で微《かす》かに微笑《ほほえ》む。

「ぐぅ……あ……あづい……お前……なにした……？」

「さあな？　疑問を浮《う》かべたまままさよならだツルデブ」

そう言いながら右拳を握《にぎ》り全力で顔面に叩きつけた。ようやく自分の手で納得《なっとく》のいくダメージを与《あた》えることができる。

「ぼごへっ！」

シュ～っと体から湯気を出しながら意識を失うツルデブ。その瞬間頭の中に聞きなれた音が鳴り響《ひび》いた。

（お、こんな奴《やつ》らでもレベルアップの足しになったか）

少し機嫌《きげん》を良くしてツンガリの所へ行き、そそくさと懐《ふところ》を探《さぐ》る。

「……お、あった。ほらよ」

そう言って村長に紙を投げ渡《わた》す。村長は慌《あわ》ててそれを受け止める。

「次は知らんぞ」

「こ、これは村の権利書……？」

「それと、さっさと国軍を呼んで連行してもらえ。しばらくは目が覚めないだろうが、きつく縛《しば》っておけよ」

「あ、あの……」

村長は何が何だか分からない気分のようだったが、次第に現況《げんきょう》を呑み込んでいき、もう一度倒れている二人を見て頬《ほほ》を緩《ゆる》める。

「お、おお……」

そして……

「やったぁぁぁぁぁぁぁっ！」

空気を震《ふる》わすほどの村人たちの歓声《かんせい》が耳に入ってくる。日色は片目を閉じながらうるさいなと呟《つぶや》くが、その声は誰も拾えていない。村長は日色の手を取り、涙ながらに感謝する。

「感謝します！　感謝しますぞ！」

「あ、ああ」

戸惑《とまど》いながらも返答する。そこにパニスもやって来る。

「き、君は凄腕《すごうで》の冒険者《ぼうけん》だったんだね？」

「さあな、そいつらが弱かっただけだろ？」

「いやいや、そいつらは《ハリオス兄弟》と言って、冒険者でもかなりの腕前《うでまえ》だったはずだよ。札付きだがね」

ふ～んと素っ気なく頷《うなず》く。正直コイツらの出生や評価に興味は無い。するとバシッとお尻《しり》のあたりを軽く殴られたような衝撃《しょうげき》が走る。見ればそこにニースがいた。

「なんだよにいちゃん！　そんなにつよいんなら、さいしょからたすけてくれたっていいじゃんかよ！」

「これっ、ニース！」

村長が窘《たしな》めるが、次の瞬間《しゅんかん》、日色の行動に皆が驚《おどろ》く。何故ならポカンとニースの頭を小《こ》突《づ》いたからだ。

「いってぇっ！　なにすんだよにいちゃん！」

「言っただろ。オレは正義の味方じゃない。無償《むしょう》で人助けなんかするか。お前らを助けたのは、このオッサンに……いや、オッサンとチビッ子に依頼《いらい》を受けたからだ。もちろん報《ほう》酬《しゅう》アリでな」

「え……ココも？」

するとココは「うん！」と花が咲《さ》いたように笑顔《えがお》を作り大きく頷く。

「それにだ、殴った以上、一回は一回だ」

「なっ⁉」

拳を見せながら言うと、ぶ～っと頬を膨《ふく》らませるニースは置いておいて、さっそくパニスと話すことにした。無論報酬のことについてだ。

「さてオッサン、さっそく村長には本の件を頼《たの》んでもらうぞ？」

「あ、ああ、いいけどさ」

涙《なみだ》目で頬を膨らませて睨《にら》みつけているニースを見て苦笑いを浮かべるパニス。彼が村長に報酬のことを話すと、是非《ぜひ》もなく了承《りょうしょう》してくれた。本は後で持って来てくれるらしい。

さらに村長からは、宿代も無料でと言われたので、願っても無いと思い受けた。その際に豪華《ごうか》な食事も用意してくれるというので、思わぬ僥倖《ぎょうこう》だった。

「さあ、それじゃ行こうか」

「ん？　何処《どこ》へだ？」

パニスにはもう用事は無かったはずだが？　そう思い彼を見つめていると、

「何だい、忘れたのかい？　言っただろ、うちの最高の武具を授《さず》けると」

「………報酬はもう用意してもらったはずだが？」

「いやいや、私からの感謝の気持ちをまだ受け取って貰《もら》っていない。今は最高に気分が良いんだよ！　是非君に受け取ってほしい！」

どうやらパニスからも報酬を貰えるらしい。まあ、貰える物は貰っておいて損は無いので、素直《すなお》に彼の厚意《こうい》を受けようと思った。

それからパニスの店に向かって歩いて行くが、人に会う度《たび》に感謝される。先程《さきほど》は歓迎《かんげい》されていないムードだったが、今は大逆転ホームランである。

（現金な奴らだな）

気持ちは分かるが、手の平を返したような態度はあまり好感が持てないと感じる。

「ここがウチの店だ」

「ほう、武器だけでなく防具も売ってるのか」

店の中を見回して、一通りどんなものがあるのかチェックしていく。

「最高の武具をくれるという話だったが、この店の最高はどれだ？」

「ふっふっふっふっふ。よくぞ聞いてくれた」

少し笑い方がウザい。思わせぶり感が半端《はんぱ》無いのだ。彼は店の奥へと行き、一振《ひとふ》りの刀を持って来た。

「コレだ！」

「ほう」

「『刺刀《しとう》・ツラヌキ』という」

見た目は日本刀そのものだ。長さも日本刀と比べても同等で、違《ちが》うのは刀身がまるで氷のようにクリアな造形だということだ。

しかし目を奪われるほど美しいと思ったのも事実だ。光に反射してキラキラしている。

「これは刺《さ》すことに特化した刀だ。ちなみに刀ってのは知っているかい？　刀はもともと『獣人族《じゅうじん》』のある一部の者たちが造ったとされてる武器の一種だ。『人間族』が造る力任せに叩《たた》き斬ることを主軸《しゅじく》に置いた剣《けん》ではなく、刀身を鋭《するど》くして力ではなく、速さを活《い》かして獲物《えもの》を斬り裂《さ》くことを主軸に置いたものだ」

それは日本人である日色は知っていたが、黙《だま》って聞いていた。

「この『刺刀《しとう》・ツラヌキ』も、もちろん切れ味は保証できる。だがコイツの真骨頂《しんこつちょう》は突《つ》き！　名前の通り、どんなものでも貫《つらぬ》き通すことに特化した刀だ。こんな形だが、頑丈《がんじょう》さも折り紙つきだよ」

「これほどの刀をどこで？」

「商人のツテでちょいとな。家宝にしようと思い、今まで大事に保管してきたんだ」

「よくあの二人に取られなかったな」

「それはもう、これは地下倉庫に隠《かく》してあったからな」

胸を張りながら自慢《じまん》するように言う。それだけ大事なものなのだろう。

「しかしいいのか？　これは家宝なんだろう？　つまり売り物じゃない。オレは店の最高の武具と聞いたが？」

店頭に並んでいない以上、この刀は店とは関係無いだろうと思った。

「いや、確かに惜《お》しいが、君にならば託《たく》せる気がするんだ」

「……買い被《かぶ》りだと思うが？　オレは好き好んで奴らを討伐《とうばつ》したわけじゃない。あのガキにも言ったが、オレは正義の味方じゃないしな」

「そんなこと関係あるもんかい」

「ん？」

「君はこの村を救ってくれた。過程はどうであれ、その事実だけでも我々にとっては最高に喜ばしいものだよ」

再び刀を見つめる。そして何故かその刀を手にしてみたいと思っていた。

「……いいのか？」

「ああ、受け取ってくれ」

「分かった。じゃあ頂くとしよう」

両手で『刺《し》刀《とう》・ツラヌキ』を受け取る。初めて手にしたのにも拘《かかわ》らず、まるでずっと使っていたかのように手に吸い付いてくる。

腰《こし》に着けると、これまた不思議としっくりとくる。つい頬が緩みそうになる。やはり日本男児なので、日本刀を腰に差すのは結構嬉《うれ》しかったりするのだ。

（こんなとこで、嬉しい誤算と出会えたな）

レベルも上がったし、良い刀とも巡《めぐ》り会えたし言うこと無しだった。再度パニスから礼を言われて、そのまま店を後にする。今日はもうすることが無いので宿に戻《もど》ることにした。

だがその最中に目の前に立ち塞《ふさ》がった人物がいた。

「にいちゃん、ちょっといい？」

ニースだった。隣《となり》にはココもいる。日色が大きく溜《た》め息《いき》を吐《つ》くとニースは怒《おこ》ってくる。

「こら！　なんでそんなめんどくさそうなかおするんだよ！」

「………はぁ」

「ほらまたぁ！」

指を差すなと言いたいが、構っていると時間が幾《いく》らあっても足りなそうなので早く要件を聞き出して終わろうと思った。

「何の用だガキ」

「ガキガキいうなよぉ！　こうみえても七さいだぞ！」

「ああ、立派なガキだな」

「むき～っ！」

「もう、村の恩人さんだよニース」

ココがニースを窘《たしな》める。

「それはわかってるけど、こどもあつかいすんなぁ！」

「……はぁ、一体何の用だ？」

「……なまえ、おしえてよ」

「……は？」

「だからなまえ！　とうさんにきいてこいっていわれたから！」

「父さん？　誰《だれ》だ？」

「このむらのそんちょうだよ」

「………お前村長の息子《むすこ》だったのか？」

「ふふん、いいだろ～」

自慢気《じまんげ》に言ってくるが、少しも羨《うらや》ましくなんて無い。ココも呆《あき》れた感じでニースを見つめている。

「あ～はいはい、すごいな～、もうびっくり～、ちょ～すご～い」

「…………にいちゃん、ぜったいそうおもってないよね？」

「まあな」

「すなおにみとめたっ⁉」

ガ～ンとショックを受けたように口を開けているが、本当にこのままだと時間がかかるので、仕方無く教えることにした。

「日色だ。こっちではヒイロ・オカムラだな」

「ヒーロー……か、かっけえな！　にいちゃん！」

「う、うん！」

「はあ？」

急に二人が目を輝《かがや》かせて言ってきたので、意味が分からなくてキョトンとする。

「そっかぁ～、にいちゃんはヒーローなのかぁ～」

「……何だかよく分からんが、村長に伝えに行くんだろ？　早く行かなくていいのか？」

どうでもいいから早くどこかに行ってほしい。

「あ、そうだった！　いまとうさんがアイツらをしばりあげてるから、てがはなせねえんだった！　んじゃまたね、にいちゃん！」

「はいはい」

元気に手を振《ふ》って走り去って行くニースを見て若いなぁと思うのは、自分はあまりにも達観し過ぎてやしないかと思い首を振る。自分だってまだ十六歳なのだ。

だが不思議なことにココは彼を追うわけではなくその場にいた。

「……どうした？」

「あ、あの……これ！」

そうして手渡《てわた》されたのは小さな包み紙だった。反射的に受け取ると、何だかそこから甘い香《かお》りがした。

「あ、あのね……おれい！」

そう言って「えへへ」と嬉しそうに微笑《ほほえ》むと、恥《は》ずかしそうにニースの後を追っかけて行った。そして途中《とちゅう》で止まったかと思ったら、

「ありがと～、おにいちゃ～ん！」

そう叫《さけ》ぶと再び走り出した。どうやら依頼料《いらい》である手作りのお菓子《かし》を頂けたようだ。包み紙を開けると、一口大のクッキーが何枚か入っていた。

温かくはないので、今作ったものというわけではないらしいが、口に放り込《こ》むと果実の甘さに、ポリポリとした食感が楽しめた。

（まあ、ガキにしてはマシな依頼料だったな）

宿に帰ると、これまた別人格かと思うほどの違いを見せつけてくれた宿主《やどぬし》がいた。

村長が言っていたように、豪勢《ごうせい》な夕飯も作ってくれていたようで、こちらとしてはありがたいが、ここまでちやほやされると、何だか気持ちが悪く感じるのは、自分の性格がひん曲がっているせいだろうかと思い首を振る。

しばらくして、今度はニースが村長とともに現れた。事後処理のせいでしっかりとした感謝を述べていなかったと駆《か》けつけたらしい。その時に村長からは確かに本を渡《わた》された。

「これは差し上げます。こんなものしかございませんがお許し下され」

その本は確かに古い本であり、見た感じこの世界の伝記のようだ。この【イデア】の歴史に興味を持っている日色にとっては最高の報酬《ほうしゅう》だった。

そのまま本を部屋に置くと、旅支度《たびじたく》を整えるために、食糧《しょくりょう》を買いに出かけたのだが……。

村を出歩けば村人からわざわざ感謝の言葉を向けられ、いちいち返答するのがさすがに鬱陶《うっとう》しくなった日色は宿の部屋に籠《こも》ることにした。

体力的には全然疲《つか》れてはいないが、精神的に疲弊《ひへい》したようだった。ここで改めて《ステータス》を確認《かくにん》しておくことにした。

ヒイロ・オカムラ
Lv 20

HP　320／320
MP　900／900
EXP　5672
NEXT　520

ATK　139（200）
DEF　100（115）
AGI　210（212）
HIT　112（120）
INT　189（193）

《魔法属性《まほう》》　無
《魔法》　文字魔法（一文字解放・空中文字解放）
《称号《しょうごう》》　巻き込まれた者・異世界人・文字使い・覚醒《かくせい》者・人斬《き》り

疑問に思うことがある。まず最初にこの《ステータス》の上がり度が異常過ぎる。確かレベルが上がるまでは18だったので、一気に2も上がったのは嬉しいことだ。

しかしつい先程《さきほど》までHPは200もいかないくらいだったのだ。MPだって、その他《ほか》のものだって、ほとんどが二ケタのままだったはずなのだ。

それがいきなり2レベル上がったからと言ってこれは異常である。

（いや、こっちとしては嬉しいが、何が……）

そう思い称号に目が行く。そこで《覚醒者》が気になった。《人斬り》はデブガリコンビを斬ったからついたのだと判断できる。

しかし前者の方は理由が分からない。とりあえずクリックして内容を見てみる。

《覚醒者》
異世界人補正。レベル20になると全《すべ》てのステータスに大幅《おおはば》な補正がつく。今後はレベルが上がる度《たび》に少しだけ補正がつくことになる。

おお～何というチートと思わず溢《こぼ》してしまったのは許されるだろう。さすがは異世界人だ。勇者でなくても、これだけの恩恵《おんけい》があるとは嬉しい限りだった。

次に気になった《文字魔法《ワード・マジック》》の《空中文字解放》だ。

《空中文字解放》　消費MP　100
魔力《まりょく》で空中に文字を書けるようになる。使用する時は、対象物に触《ふ》れて発動。また書いた文字を飛ばし、文字によっては空中で発動させることも可能。しかし矢のように真《ま》っ直《す》ぐにしか飛ばせない。

よく分からないので実際にやってみた。魔力を指先に集中させて、いつも地面に書く要領で空中に書くようイメージする。すると青い光の文字が出来上がる。文字は『浮』だ。そのまま指を動かすと、文字も一緒《いっしょ》についてくる。ちょうどそれを部屋にあった花瓶《かびん》に向けて飛ばすイメージをする。

引き金を引くイメージを想起《そうき》させると、文字が真っ直ぐ花瓶に向かって行く。そして当たった瞬間《しゅんかん》、そのまま花瓶に張り付いた。

さらに発動と念じると、花瓶が浮《う》くという驚《おどろ》くべき現象が発生した。

「おお、これは便利になったな」

これならいちいち地面に書いて罠《わな》を張ったりしなくても、相手に向かって放ち、攻撃《こうげき》することが可能になる。

どんどんチート化していく自分の力に少し呆れつつも、何だか楽しくなってくる日色であった。ちなみに浮いていた花瓶は一分ほど経《た》ったら自然と落ちた。

※

翌日村長たちがもう一度日色にお礼を言おうと、宿の前で待っていたら、慌《あわ》てて宿主が出てきた。

「ど、どうしたんだ？」

「そ、それが……」

日色が泊《と》まっている部屋を確認した宿主から説明を受ける。

「何だと!? 彼がいないっ!?」

実をいうと日色はすでに朝早く、日が昇《のぼ》る前に村から出て行ったのである。理由は言わなくても分かると思うが、この状況《じょうきょう》を予想していたからだ。

それに国軍が来たら、めんどくさそうになるということも判断したようだ。

「何ともまあ、我々がどれほど感謝しているか知らずに……」

「な～んかにいちゃんらしいけどな～」

ニースは笑いながら言う。パニスとココもうんうんと頷《うなず》いている。

「またいつかあえるかな、ヒーローのにいちゃんに」

「うん、またあいたいなぁ～」

村長はニースとココの頭を撫《な》でながら答える。

「きっとな。あの方は我々の英雄《えいゆう》だからな」

村長の言葉に、皆《みんな》が頷きを返していた。

※

「へっくしょん！」

大きなくしゃみをしながら日色は国境近くの街【サージュ】目指して進んでいた。

《ステータス》が莫大《ばくだい》に向上したので、現れるモンスターなどただの雑草を刈《か》る気分で薙《な》ぎ払《はら》っていた。

貰《もら》った『刺刀《しとう》・ツラヌキ』も試したが、物凄《ものすご》く使いやすい。攻撃力も高く、一撃《いちげき》でモンスターの命を狩《か》り取ることができる。

「さてと、この先の【トーチュー山脈】を越《こ》えれば、【サージュ】に繋《つな》がる【マリントン街道】か」

地図を広げながら道の確認を行う。

「それにしても、まだまだ先は長そうだなぁ」

照りつける太陽に顔を歪《ゆが》めながら、遥《はる》か先に見えている【トーチュー山脈】を見つめる。

歩きながら《文字魔法《ワード・マジック》》の性能を再び確認する。いろいろ試してみたが、《文字魔法《ワード・マジック》》には持続効果時間のある文字と永続効果の文字がある。

例えば、先のように物を浮かせる文字を使えば、一分程度で効果は無くなり元に戻《もど》るが、剣《けん》の刀身を伸《の》ばす『伸』を使用したら、何もしなければずっとそのままのようだ。

同じように『硬』、『柔』はずっと続く。しかし『炎』や、ツルデブに使った『熱』などは一分程度で効果が無くなる。

（これはあれか？　対象そのものの質や形を変化させるのはずっと続くが、それ以外だと効果は一分ってことか？）

実験していろいろ調べる必要があると思った。無茶な使い方して《反動《リバウンド》》をくらったら堪《たま》ったものではない。

これだけの力だ。もしコントロールできず《反動《リバウンド》》を受ければ、相当のダメージを負ってしまうことは想像に難《かた》くない。

だからこそ、直接生物の生死に関わる文字は極力控《ひか》えることにする。もし何かあったらその《反動《リバウンド》》こそ想像以上のものに違《ちが》いないのだ。

魔法はイメージだ。ハッキリとした強いイメージが無ければ発動もしないし、たとえ発動してもコントロール不足に陥《おちい》り《反動《リバウンド》》を受ける。

【ヴィクトリアス】で老婆《ろうば》にも言われたが、知識というものの重要性がよく分かった。

道すがら様々な《文字魔法《ワード・マジック》》を試しながら歩いて行く。MP回復薬は相当数所持しているので実験には事欠かない。

また長所や短所も幾《いく》つか発見できた。まずは自分の魔法の特性を知る。それがこの世界では重要なことだと判断した。

※

「ふ〜肩凝《かたこ》ったぁ〜」

肩を回しながら疲れにげんなりしているのは、【人間国《にんげんこく》・ヴィクトリアス】によって召《しょう》喚《かん》された勇者の一人である青山大志《あおやまたいし》だ。

その隣《となり》には同じように疲れた表情を浮かべている三人の勇者もいた。

その四人を見ながら、彼らの前に立っているのは、第一王女であるリリスだ。

「お疲れ様でした。今回も素晴《すば》らしく得るものが多かったクエストだと、先程ウェルさんからお聞きしました」

ウェルというのは、大志たちの教育係である国軍第二部隊の隊長のことだ。

今回受けたクエストは【ドローク洞窟《どうくつ》】に潜《ひそ》むスティンガーバットというモンスターの討伐《とうばつ》だった。

かなりの数が生息しており、それらが最近街に出て悪さをするということで討伐クエストに提示されたのだ。

また【ドローク洞窟】には毒を持ったモンスターも生息しており、暗く足場の悪い場所だということでランクもCとなかなかに高かった。

しかし、レベルも大いに上がった四人は、持ち前のチームワークを駆使《くし》して、何とか百匹《ぴき》以上のスティンガーバット討伐に成功した。

これでモンスターもしばらくは身を潜めることになるだろうと判断して城へと帰還《きかん》したのだ。

「けどさ、あんな数のモンスターとやりあった経験は確かに良かったよな」

大志が言うと皆は頷きを返す。

「そうね、お蔭《かげ》でチーム力の穴も発見できたし、これからの課題が見つかったわね」

タオルで汗《あせ》を拭《ふ》くのは鈴宮《すずみや》千佳《ちか》である。

「それではここらへんで、《ステータス》の確認《かくにん》をしてみて下さい」

リリスの言葉通り、皆は確認をする。

タイシ・アオヤマ
Lv 20
HP 120／379
MP 89／322
EXP 4200
NEXT 987
ATK 195（263）
DEF 177（210）

AGI　115（137）
HIT　144（158）
INT　101（122）

《魔法属性《まほう》》火・風・雷《かみなり》・光
《魔法》ファイアボール（火・攻撃）
フレイムランス（火・攻撃）
ウインドカッター（風・攻撃）
サイクロン（風・攻撃）
サンダーショック（雷・攻撃）
サンダーブレイク（雷・攻撃）
ライティング（光・効果）
ライトアロー（光・攻撃）
《称号《しょうごう》》勇者・異世界人・ハーレムクリエイター・覚醒《かくせい》者

チカ・スズミヤ
Lv　20
HP　134／355
MP　65／318
EXP　4200
NEXT　987
ATK　190（250）
DEF　185（210）
AGI　126（155）
HIT　127（148）
INT　108（128）
《魔法属性》火・土・氷・光
《魔法》ファイアボール（火・攻撃《こうげき》）

フレイムランス（火・攻撃）
グレイブ（土・攻撃）
アースクエイク（土・攻撃）
アイスニードル（氷・攻撃）
アイストーネード（氷・攻撃）
ライティング（光・効果）
ライトアロー（光・攻撃）
《称号》勇者・異世界人・スポーツ王・覚醒者

シュリ・ミナモト
Lv　20
HP　200／290
MP　29／480
EXP　4200

NEXT 987
ATK 97（119）
DEF 99（121）
AGI 124（135）
HIT 110（120）
INT 190（215）

《魔法属性》風・水・光
《魔法》ウインドカッター（風・攻撃）
グリーンバインド（風・支援《しえん》）
ウォーターウォール（水・支援）
バブルショット（水・攻撃）
ヒール（光・回復）
アンチドート（光・回復）
チャージ（光・支援）

《称号》　勇者・異世界人・大和撫子《やまとなでしこ》・覚醒者

シノブ・アカモリ

Lv　20

HP　90／295
MP　34／448
EXP　4200
NEXT　987

ATK　99（127）
DEF　97（124）
AGI　147（170）
HIT　109（122）
INT　196（222）

《魔法属性》水・雷・光
《魔法》ミスト（水・支援）
アクアスパイラル（水・攻撃）
パラライズ（雷・効果）
アクセル（雷・支援）
ヒール（光・回復）
クリーニング（光・回復支援）
レイ（光・攻撃）
《称号》勇者・異世界人・好奇心旺盛《こうきしんおうせい》・覚醒者

（何でもいいけどさぁ、このハーレムクリエイターの称号だけは勘弁《かんべん》してくれよなぁ）

大志は自身の称号に納得《なっとく》がいっていないようだ。恐《おそ》らく自分はハーレムなど形成した覚えなど全くと言っていいほど皆無《かいむ》だと思っているのだろう。

「何ぼ～っとしてんのよ大志？」

「え？　あ、いや～何でもないって！　あははは！」

千佳に急に声を掛《か》けられ大志は焦《あせ》る。何故《なぜ》なら自身の称号を教えるわけにはいかないからだ。まさか「君たちは俺のハーレム要員さ！」などと言えるわけがない。

「変な大志。まあでも、こう見ると大分強くなったわよねぇ」

「そうですね。頑張《がんば》った甲斐《かい》がありましたね」

称号にあるように大和撫子タイプの皆本朱里《みなもとしゆり》も千佳同様に微笑《ほほえ》んでいる。

「そうそう朱里っちの言う通りや。この調子でいくで〜」

ネコ目の少女である赤森《あかもり》しのぶもガッツポーズを作りながら意気込《ご》みを表す。

「はい、皆《みな》さまの仰《おつしや》る通りです」

リリスも嬉《うれ》しいのか可愛《かわい》らしい笑顔《えがお》を浮《う》かべている。

「けど今日はホント疲《つか》れたわ〜」

「もう大志だらしないわよ！」

床《ゆか》に寝転《ねころ》ぶ大志に千佳が注意する。

「いいだろ今日くらい〜。あ、そういやリリス、最近何か変わったこととかあった？」

「変わったことですか？　ん〜そうですねぇ……」

可愛く首をコクンと傾《かたむ》けて思案顔を作る。

「そう言えばですね、この前、国境警備から帰って来られた兵士の方が話されていたのですが、最近【アメス】という村で、お尋《たず》ね者だった者たちが捕《と》らえられたらしいのです」

「【アメス】って確か、この国から西にある村やんな?」

しのぶの質問にリリスは頷《うなず》きを返し肯定《こうてい》する。

「はい」

「お尋ね者が捕《つか》まったって、そんな有名なん?」

「はい、《ハリオス兄弟》と言って、強盗《ごうとう》や殺人も犯《おか》している札付《ふだつ》きの冒険《ぼうけん》者たちでした。もちろん犯罪が露呈《ろてい》した段階で、冒険者の資格は剝奪《はくだつ》されましたが。ですから元冒険者と言った方が正しいですね」

「ふぅん、その人らが捕まったん?」

「ええ、しかも村の方々の言うことが、どうにも要領を得《え》ないらしいのです」

「どういうことなん?」

しのぶだけでなく、皆も興味を惹《ひ》かれたのかリリスに注目する。

「何でも《ハリオス兄弟》がその村で好き勝手していたところ、赤いローブを纏《まと》ったヒーローが助けてくれたと、村の方々が口々に言うとお聞きました」

「赤いローブ? ヒーロー? 何なんそれ?」

「分かっているのは黒髪《くろかみ》をしていて、剣《けん》を伸《の》ばす魔法《まほう》を使い、触《ふ》れただけで敵を昏倒《こんとう》させるほどの力を持つ……ということだけみたいです」

「黒髪って……まさかね？」

「あ、あとその……とても偉《えら》そうな態度だったという報告もあったようです」

「黒髪で偉そう？」

しのぶは皆の顔を見回すが、どうやら皆も同じ人物を思い浮かべているみたいだ。だけどその考えは間違《まちが》いだろうと誰《だれ》もが思っている。

「アイツ……は無いだろうな。自分でも一般《いっぱん》人だって言ってたしな」

「あんなヒョロリってした性悪《しょうわる》な奴《やつ》が、人を助けるようなことしないと思うわよ」

相変わらずの評価だった。それに対し朱里がさすがに窘《たしな》める。

「ふふ、それは言い過ぎですよ千佳ちゃん」

「ん〜せやけど、ホンマんとこはどうなんやろな？　ていうか今どこにおんねんやろ？」

しのぶはそう言うが、それは誰にも分からない。リリスも首を振《ふ》っている。

「ま、考えても仕方無いし、アタシたちはアタシたちのできることをするわよ！」

千佳が皆に活を入れるように言葉を放つ。皆もそれに応《こた》えるように頷く。

第三章　出会いは突然に

モンスターの巣窟《そうくつ》とも言われる【トーチュー山脈】。

ここを越《こ》えなければ目的地である【サージュ】に行けないのだが、丘村日色《おかむらひいろ》が今何をしているのかと言えば……

「おわぁぁぁぁっ！」

絶賛逃《に》げまくっている最中だった。では何からかと言うと、日色の背後からは数えるのも鬱陶《うっとう》しいほどの多種多様なモンスターが追っかけて来ていたのである。

「く、くそ！　まさかアレが《トーチュー禍草《かそう》》だったとはな！」

すかさず岩の隙間《すきま》に身を滑《すべ》り込ませて、モンスターたちをやり過ごすことにした。

一体何があったのかと言うと、この山脈にようやく到着《とうちゃく》したはいいが、食糧《しょくりょう》が尽《つ》きかけていたことに気がついた。

そこで近くに食べられるものがあるか散策していた時、道端《みちばた》に一本の草が生えていた。

その草には実がついており、苺《いちご》のような甘い香《かお》りが漂《ただよ》ってきていた。

しかもその実はかなり大きく、もしかしたら食べられるかもと思い、さっそく草を抜《ぬ》いたのだ。

しかし草の根元には、根っこではなく、気味の悪い木彫《きぼ》りでできた人形のような形をしたものがついていた。そして突然それが叫《さけ》び出したのだから、心臓が飛び出るかと思った。

そこで思い出す。ここに来る前にギルドの受付嬢《うけつけじょう》から、《トーチュー禍草《かそう》》というモンスターについて教わっていた。

引っこ抜いてしまえば、けたたましいほどの叫び声を上げて、近くにいるモンスターを全て呼び寄せてしまう能力を持っているとの話だった。

まさかそれが《トーチュー禍草《かそう》》だったとは思ってもいなかったので、事態を呑《の》み込めず硬直《こうちょく》していると、周りからウヨウヨとモンスターが押し寄せてきたというわけである。

（はぁ、まったく、ホントに面白《おもしろ》い世界だなここは）

息を殺しながら周囲を確認する。どうやらモンスターたちは去って行ったようだった。

「ふう、倒《たお》せないわけじゃないと思うが、いきなりあの数は戸惑《とまど》うな……」

明らかに十体以上は軽くいたのだ。とりあえず安全のためにも身を隠《かく》して正解だと思った。今度こそ《トーチュー禍草《かそう》》には気をつけようと思い、歩を進める。

「しかし、腹減ったな」

走ったから余計だ。何か無いかと思いキョロキョロしていると、どこからか香《こう》ばしい匂《にお》いが漂ってくる。一応確認《かくにん》がてら行ってみるかと思い足を動かした。

しばらく歩くと、そこには小さな清流《せいりゅう》が流れており、たき火の近くには魚が串刺《くしざ》しで立たされており、焼き魚の良い匂いが腹の虫を刺激《しげき》する。

喉《のど》をゴクリと鳴らすが、一体これは誰のものだと思い周囲を見回す。見える所には誰もいない。

「う〜ん……」

誰もいない。そして目の前には美味《うま》そうな焼き魚。自分は腹が減っている。もう一度言おう、誰もいない。

「………いただきます」

我慢《がまん》できなかった。魚を手にしようとした時、

「させえぇぇえん！」

背後から物凄《ものすご》い怒号《どごう》と殺気が飛んできたので、すかさず横に大きく跳《と》びその場から離《はな》れる。日色が今居たところには、木の棒を地面に突《つ》き立てた男がいた。

「させん！　させはせんぞ！　これは俺《おれ》の食い物だ！」

指を突きつけるように棒を向けてくる。男は青い短髪《たんぱつ》を逆立てている。見た目は顎《あご》に髭《ひげ》

が生えていて、三十代くらいに見える。

鎧《よろい》に覆《おお》われながらも、その体軀《たいく》は逞《たくま》しく筋骨隆々《きんこつりゅうりゅう》とした姿を持っていた。背中には大剣を背負っているが、それを抜かれたら面倒《めんどう》だなと日色は思った。

（しかしな……）

チラリと魚を見る。またも腹の虫が騒《さわ》ぐ。

「おい坊主《ぼうず》！　名を名乗れぃ！　このアノールド様の飯を横取りするなど言語道断《ごんごどうだん》だ！　名を名乗れぃ！」

何だか暑苦しい奴だなと目を半眼にする。名はアノールドと言うらしい。

「貴様にやるような飯など無いわ！　名を名乗って立ち去れぃ！」

名は絶対に名乗らなくてはならないのかと思いつつ、これからどうするか思案する。

「………ふぅ、とりあえず話を聞け」

「何を落ち着いていやがるこの盗人《ぬすっと》が！　俺は決して騙《だま》されんぞ！　この飯は俺んだ！　だって俺が獲《と》ったものだもの！」

「……その魚はお前のものか？」

「そうだ！　それがどうしたぁ！」

「よし、くれないか」

「ふっざけんなぁ！」

「腹が減ってるんだ。だからくれないか」

「ぐ、ぐぐぐぐ！　くれくれくれくれと、どぉいう育て方されてんだこのクソガキャア！」

「そんなことはどうでもいい。とりあえずくれないか、暑苦しいオッサン」

「ぬぁんだとおぉおぉおっ！　だぁれが暑苦しいだとぉおぉおぉおっ！」

これ以上怒《おこ》るとどうにかなるのではないかというくらい憤慨《ふんがい》している。いやもしかしたら何かに変身するかもとか思っていたその時、ガサッと藪《やぶ》の中から誰かが出てくる。

「お、おじさん……」

現れたのは十歳くらいの女の子だった。白銀の髪《かみ》が肩《かた》まで伸びているが、その髪をまるで隠すように、可愛らしいニット帽《ぼう》のようなもので小さな頭を包んでいる。

透《す》き通るような空色《そらいろ》の瞳《ひとみ》が大きな目の中に収まっている。だがそれが今は何故か不安色に染まり、小さな体も小刻みに震《ふる》わせている。日色を見て恐怖《きょうふ》を抱《いだ》いている感じだ。

「お、おお～ミュア！　ちょ～っと待っててくれよ！　今すぐこの不届《ふとど》き者を、この愛ある拳《こぶし》で叩《たた》き潰《つぶ》し改心させてやっからな！」

勝手なことをいろいろ言われているみたいだ。日色が少女の方をチラリと見ると、彼女はビクッとして体を隠す。何故《なぜ》それほど怯《おび》えているのかは分からない。

「………はぁ、分かった」

「ん？　何が分かったんだ小僧《こぞう》？」

「全部は諦《あきら》める。だから少しだけ分けてくれ」

「言葉遣《づか》いを教わらなかったのかこの野郎《やろう》！」

「何だ？　これ以上は譲歩《じょうほ》せんぞ？」

「どこの口がほざいてんだコラァッ！」

アノールドは棒を強く握《にぎ》りしめ、敵意を膨《ふく》らませていく。そして日色に向かって跳んできた。かなりの速さだ。すぐさま身を引き、相手の棒による攻撃《こうげき》を避《さ》ける。

（速いな……それに向こうもまだ本気じゃない）

避けながら相手を観察して力量を測っていく。だがそれは相手も同じだった。

※

（ふむぅ、このガキ、良い動きしやがる！）

アノールドも様子見とはいえ、あっさりと初見《しょけん》で攻撃を避けてみせた日色の力量が高いことを把握《はあく》する。そして二人はある程度距離《きょり》を取り睨《にら》み合う。

カチッと日色が『刺刀《しとう》・ツラヌキ』の柄《つか》に触《ふ》れる。そしてアノールドも棒を捨てて、背中に背負った剣《けん》の柄に手をやる。緊張感《きんちょうかん》が周囲を包み、静けさが支配している時、

「きゃあぁぁぁぁぁっ！」

突然叫《とつぜんさけ》び声が聞こえた。ミュアという少女の声だった。

見ればミュアの背後には、熊《くま》を一回り、いや、二回りは大きくしたようなモンスターであるバーバラスベアが三体いた。今にも彼女《かのじょ》を襲《おそ》う様子だ。

「ミュアァァァァッ！」

アノールドは顔を強張《こわば》らせて勢いよく大剣を抜き、真っ直ぐバーバラスベアに向かって行く。その速さは、先程《さきほど》とは桁違《けたちが》いの速さだった。

あまりの速さに、目眩《めくら》ましをくらったかのようにギョッとなるモンスターたち。

突撃《とつげき》した力をそのまま剣に流して、ミュアを捕《と》らえようとしている一体の腕《うで》を斬《き》り落とすことに成功する。

「グギャァァァッ⁉」

腕がそのまま地面にドサッと落ちるが、苦痛に顔を歪《ゆが》め血しぶきを上げながらも、バーバラスベアはもう一方の腕をアノールドに向かって振り回す。

それを剣でガッシリと受け止める。背後にミュアを置き必死に守っている。

「お、おじさん……」

「大丈夫《だいじょうぶ》だ！　ここは俺に任せてお前は今すぐここから――」

離れておけと言おうとしたみたいだが、背後にも一匹《びき》バーバラスベアが現れた。

「何だとぉ！」

このままではミュアが危ない。しかし今、アノールドは目の前で三体のモンスターと相対している。このまま背後のモンスターに対応すれば、三体がフリーになってしまう。

（くっ！　どうする！　使うか……いや、ここじゃミュアまで巻き込《こ》んじまう……っ！）

事態に明らかに困惑《こんわく》しているアノールドだが、その時、遠くから声が聞こえてきた。

「お～い、何でもいいが、魚食べていいか？」

まるで場違《ばちが》いな空気を醸《かも》し出し、日色が目の前の焼き魚を見つめていた。

※

「おいコラ待ててめえ！　こんな時に魚だと！　もうビックリするわ！　てめえの空気の読まなさ！」

「そんなこと言ってもなぁ。ところで辛《つら》そうだな」

「そ、そう思うなら手伝いやがれ！」

「断る。何故無料《ただ》働きなどしないといけないんだバカらしい」

「ぬぁんだとぉ！」

アノールドは目を血走らせながらも、モンスターたちの攻撃を上手《うま》く捌《さば》いている。そしてすかさず攻撃を弾《はじ》いた勢いで体を回転させてミュアの目の前に立つ。

しかし周囲は四体のバーバラスベア。一呼吸でも気を抜けば、ミュアに攻撃が降りかかってしまうだろう。

そんな様子を見ても、日色は平然としている。それよりも空腹が勝ち、腹の虫がうるさいので次第に苛立《いらだ》ちが募《つの》ってくるのだ。

（さて、どうするか……腹の虫はうるさいし……。こっそりと食う？　いやバレるか……さて）

ジィ〜っと香ばしいニオイを醸し出している魚を見ていたその時、ナイフが足元に投げつけられてきた。

地面にグサッと刺《さ》さったそれを見て、投げたであろう人物を睨む。

「おい、何のつもりだオッサン」

そう、ナイフを投げつけてきたのはアノールドだった。

「よ～しよしよし、よ～く聞けよこのすっとこどっこい！　そ、その魚はくれてやる！　だから手を貸せ！　これは取引だ！　食べたかったら言うことを聞け！」

「断る」

「なぁっ⁉」

まさかこの期《ご》に及《およ》んで断られるとは思わなかったようだ。

「今ならこの魚を奪《うば》い、オレは逃亡《とうぼう》できる！」

「鬼《おに》かてめえは！」

「冗談《じょうだん》も分からんのかオッサン」

「この状況《じょうきょう》で何難しいことを要求してやがんだぁ！」

まさにマイペースまっしぐらな日色だった。だがしかし、このままここにいても腹は減る一方である。ここはまず、この不愉快《ふゆかい》な腹の音を止めたいと思った。

（仕方ない、魚のために一働き……）

だがその瞬間《しゅんかん》、アノールドがモンスターの腕を剣で斬り、その斬られた腕が反動でここまで飛んできて、ものの見事にたき火の上に落ちてしまった。

※

「……あ」

「え？　あ、う、うっそぉぉぉぉっ!?」

魚は無残にも腕の下敷《したじ》きになり、食べられないほどの砂や小石などが調味料のようにガッツリとかけられていた。アノールドは物凄《ものすご》い形相で絶叫《ぜっきょう》していた。

それを見た日色は気持ちが段々と萎《な》えていくのを感じ、

「……さて、先を急ぐか」

その場から歩き出した。

「オイオイオイオイオイイィッ、ちょっと待てっつうの！」

「……何だ？　契約《けいやく》の代物《しろもの》がこうなった以上、オレは動く気力が出ないぞ？」

「ぐ……」

確かにこれが日色の不手際《ふてぎわ》だとしたら責任を押し付けることもできただろう。

しかし返事ももらえていない上に、故意では無いにしても、アノールドのせいで魚という交渉《こうしょう》ができなくなったのも事実だ。

それでもここで日色が動いてくれなければ、ミュアを守りながら凶暴《きょうぼう》なモンスターを相手にしなければならないということになる。

一人なら負ける相手ではないが、ミュアを守りながらとなると難しいのだ。できれば日色の手を借りたいと考えた。

（くそぉ、アイツを動かすには……）

物凄く不満そうだが、ミュアを守るためなら致《いた》し方《かた》なかったようだ。

日色の実力を少しは理解しているので、何とか言うことを聞かせられないかと考えピンと来た。

「よ、よしっ！　おい小僧！　って聞けよ！」

アノールドの気も知らず、日色は無視して歩き出そうとしている。

「ああもう！　こうなったら最後の手段だ！　お、お前に『アクアハウンドの肉』を少し分けてやるから手を貸せぇぇっ！」

すると日色の耳がピクリと動いて足が止まった。肉と聞いて少し興味を惹《ひ》かれたようだ。

「…………何だそれ？」

「知らねえのかよぉぉっ！　高級肉の一種だぞ！　焼けば舌で蕩《とろ》けてやみつきになるんだぞぉ！」

「………ほう」

日色の目が興味を惹かれたようにキラーンと光るのをアノールドは見た。

※

「やみつき……ねぇ」

その言葉を聞いて、日色は以前食べた『やみつき海鮮麺《かいせんめん》』のことを思い出していた。あれは美味《うま》かった。とんでもなく美味かったと。もう一度食べたいと心から思っている日色。だからこそ、アノールドが言ったやみつきという言葉に反応した。食べることが大好きな日色としては、美味い物が食べられるのなら願ったりなのだろう。

「おい、その話は本当だろうな？」

「ああ？　当たり前だろうが！　こんな切羽《せっぱ》詰《つ》まった状況で冗談なんか言えるか！　けど勘違《かんちが》いすんなよ！　全部じゃねえぞ全部じゃ！　うおっと危ねえっ！」

空気を切り裂《さ》くようなバーバラスベアの爪《つめ》をかろうじて避ける。

「クソが！　いいか小僧！　とんでもなく美味《うめ》えのは保証してやる！　けど分けてやるだけだからなぁ！」

アノールドは日色に意識を集中させ過ぎたため、ミュアの守りが疎《おろそ》かになる。そこを隙《すき》だと判断したバーバラスベアの一体がミュアを大きな手で摑《つか》む。

そしてそのまま口に運んでいく。どうやらミュアを食べようとしているようだ。

「きゃあっ！」

「しまったぁっ！」

ミュアが敵の手に落ちたと思った瞬間、ミュアを摑んでいた敵の腕がバッサリと斬り落とされる。

「グギャァァァァッ!?」

手から滑《すべ》り落ちて少女が地面に向けて落ちていく。ミュアは体にくるであろう衝撃《しょうげき》を覚《かく》悟《ご》して目を強く閉じる。アノールドもその光景を見て叫《さけ》ぶ。だがそこへ、

「よっと」

「……え？」

日色がミュアを優《やさ》しく抱《かか》えていた。彼女が覚悟した痛みなど毛ほども無かったはずだ。

「……立てるか？」

「え、あ……はい」

「なら立て。それと戦いの邪魔《じゃま》だ。奥で隠《かく》れてろ」

ミュアはぼ～っと日色を見つめていた。アノールドもミュアの安全が確保できてホッとしている。しかしそんな二人の様子が気になった日色が不機嫌《ふきげん》そうに眉《まゆ》を寄せる。

「おい、早く隠れてろチビ」

「あ、はい……です」

小さく頷《うなず》きを返し、何かを言いたそうな表情のままその場から去って行く。

「そしてオッサン、ぼ～っとしてないでさっさと戦え」

「う、うるせえ！　てめえこそ油断して死んでも知らねえぞ！」

「ぬかせ。こんな奴《やつ》らに殺《や》られるか」

刀を構えて攻撃《こうげき》の準備に入り殺気を相手に向ける。完全に敵を殺すつもりである。それが襲《おそ》ってきたモンスターに対する日色の対処の仕方だった。

僅《わず》かな情さえ無くした敵意は殺意となって、周囲を支配する。それにバーバラスベアも反応して、四体ともが脅威《きょうい》の対象として日色に意識を集中させた。

「一体一体めんどくさいな。おいオッサン、コイツらを縦一列に誘導《ゆうどう》しろ」

「はあ？　お前何言って」

「とにかくやれ。質問は後だ」

「このっ……しょうがねえな！」

諦《あきら》めたように息を吐《は》き、目つきを鋭《するど》くしてバラバラに陣取《じんど》っているバーバラスベアを睨《にら》み唇《くちびる》を舐《な》める。

「やってやるが、巻き込《こ》まれたくなきゃ下がってな！」

「偉《えら》そうに」

日色は愚痴《ぐち》を言いながらも、何をするのか興味を惹かれて大きく一歩下がっている。するとアノールドが大剣《たいけん》を逆手に持ち、

「はぁぁぁぁ……」

ギリギリと剣を握《にぎ》る手に力を込める。すると先程《さきほど》まで吹《ふ》いてはいなかったのに、突然《とつぜん》風が吹き始め日色の頰《ほお》を撫《な》でていく。

その風が徐々《じょじょ》に強くなり、驚《おどろ》いたことにアノールドが持つ剣へと渦《うず》を巻くように集束していく。

アノールドがフッと瞬時《しゅんじ》に息を吸ったと思ったら、突如《とつじょ》体を捻《ねじ》りながら地面から上空へと剣を突《つ》き上げた。

「《風陣爆爪《ふうじんばくそう》》っ！」

ブウオォォォォォォォンッ！

突然地面から、いや、アノールドを中心にして、とてつもない爆風《ばくふう》が下から上へと吹き

荒れる。まるで小さな竜巻である。

離れていた日色も、自分の体が浮くのではと思ったくらいだ。

その渦中《かちゅう》にいるモンスターたちは、抵抗《ていこう》の術《すべ》なく上空へと舞《ま》い上げられた。

「ほう、やるもんだな」

それを見た日色は感嘆《かんたん》の息を吐く。実際アノールドはいつでもこんなふうに敵を飛ばせたみたいだが、近くにミュアがいたため使えなかったようだ。

「しかも魔力《まりょく》をほとんど感じなかったぞ。……アレは魔《ま》法《ほう》じゃない？」

疑問を浮かべている最中にもバーバラスベアたちは、無数の真空の刃《は》で体に傷を負いながら上空へと舞い上がっていき、やがて落ちてくる。しかも日色の要求通り縦一列にだ。

「ふん、別に空からでもいいんだろ？」

「ああ、上等だ」

返事をすると刀の先を落ちてくるバーバラスベアに向けて照準を合わせる。

「お、おい何を……？」

「黙《だま》って見てろ」

アノールドの問いをズバッと斬《き》って捨てる。アノールドはムッとなるが、言われた通り見守ることにした。

「伸《の》びろ、《文字魔法《ワード・マジック》》！」

『伸』と書かれた刀身は急速に伸びて、落ちてくるバーバラスベアの体を突き刺《さ》していく。重力も相《あい》まってか、それとも『刺刀《しとう》・ツラヌキ』の鋭さのお蔭《かげ》か分からないが、全く抵抗無くすんなりと肉体を突き進む。

その光景を見てあんぐりと口を開けているアノールド。そんなことは露知《つゆし》らず、日色は四体分突き刺さったと判断すると、そのまま刀を体の正面へとゆっくり移動させる。

ズドォォォォン！

バーバラスベア四体分の重力を受けた衝撃が地面へと伝わり大地を揺《ゆ》らす。しかし四体はバラバラにはならず繋《つな》がったままだ。伸びた『刺刀《しとう》・ツラヌキ』によって。

そして呻《うめ》き声《ごえ》を上げながら、次第に絶命していく様を刀越《ご》しに感じ取った日色は呟《つぶや》く。

「バーバラスベアの串刺《くしざ》し、一丁上がりだ」

戦闘終了《せんとうしゅうりょう》の言葉だった。

戦闘《せんとう》が終わり、『元』の文字を使い刀の長さを元に戻《もど》す。

それにしても、この『刺刀《しとう》・ツラヌキ』の切れ味ならぬ突き味は極上としか言えないだろう。まるで豆腐《とうふ》を貫《つらぬ》くように簡単に相手の体を突き進んだ。

（さすがは突きに特化した刀だな）

満足気に頷く日色を見て、それまで黙っていたアノールドがようやく口を開く。

「お、お前……今何やったんだ？」

「そんなことより、あのチビの心配はいいのか？」

説明をするつもりはないので、早々に話題を変える。するとアノールドはハッとなりミュアの名前を叫ぶ。岩の陰《かげ》に隠れていたようで、ゆっくりと姿を現した。

「け、怪我《けが》はねえか？」

「う、うん」

「よ、良かったぁ～」

心底安心したのか、アノールドはその場でへたり込む。日色はそれを一瞥《いちべつ》した後、静かに刀を鞘《さや》に納める。すると腹がぐ～っと鳴ったので、腹を押さえながらアノールドに近づく。

「おいオッサン、約束は守れよ？」

「…………何のことだ？」

「ほう……」

シャキンと刀を少しだけ鞘から抜《ぬ》く。

「じょ、冗談《じょうだん》だ冗談！　だからそれをしまえ！」

「いいからさっさとそのやみつき肉とやらを食わせろ。腹が減って仕方が無い」

「…………はぁ、ごめんなミュア。まさかこんなとこでアレを食べるハメになろうとは……」

「う、ううん。助けてもらったんだもん。そ、それにご飯はみんなで食べた方がおいしいよ？」

「うおぉぉぉぉ！　何て良い子なんだミュアはぁ！」

感動したと叫びながらミュアを抱《だ》きしめる。普《ふ》通《つう》ならその光景を微笑《ほほえ》ましく見るのだろうが、日色はまたも腹を押さえながら言う。

「どうでもいいが早くしてくれ。腹が減った」

この態度である。ピキッと青筋《あおすじ》を立てたアノールドだが、日色に何を言っても無駄《むだ》だと悟《さと》ったのか、溜《た》め息《いき》を吐きながら二人を誘導する。

「こっちに来いよ。用意すっから」

「あ、わたしが用意するよ！」

ミュアが、ここからは自分が二人のために何かをするんだと言わんばかりに動く。先程のたき火がある場所だ。

「え～っと、確かこの辺に……あ、あった！」

岩陰《いわかげ》に手をやりゴソゴソと動かし、そこからかなり大きな袋《ふくろ》を出す。そしてその袋を開け、中からまた袋を取り出す。その中には重量感のありそうな塊《かたまり》が入っていた。

「それがそうか？」

「は、はい！　この中に……コレです！」

そうして取り出したのは、糸で縛《しば》ってある肉だった。大きさはラグビーボールほどある。

「えっと、コレが《アクアハウンドの肉》です。しかも一番おいしいとされている腿《もも》の部位です！」

どうだと言わんばかりに目の前に突き付けてくる。その目が若干《じやつかん》輝《かがや》いているので、本人もその肉を手にして食指《しよくし》が動いているのかもしれない。

「どうでもいいから早く食わせてくれ、早くな」

「ホント偉そうなガキだなてめえな。できるまでこの果実でも食ってろ。けど俺の分は残せよ」

「……善処《ぜんしよ》しよう」

「いやいや、残してよねっ！」

アノールドがミュアから受け取った袋から取り出した、拳《こぶし》くらいの大きさの赤い実の、六つのうち二つを両手に持ち口に運んだ。

これは《ゴリンの実》と言って、日色も幾《いく》つか食べたことがある実だった。リンゴのような味がする実だ。

「調理できるまでそれでも齧《かじ》って――――」

「おかわり」

「早《はえ》ぇよ！　しかも覚悟《かくご》してたけどやっぱ全部食べたのかよっ！　ああもう、肉も用意すっからちょっと待ってろ！」

そう言うと木の棒を利用して、たき火の中から大きな石を取り出す。真っ赤になった石は、見た目通りとてつもない熱を宿していることが判断できる。

「置くよ、おじさん？」

「ああ、火傷《やけど》するなよ」

「うん！」

ミュアが、石の上に肉を置く。するとジュウゥゥゥウゥッと美味《うま》そうな音が響《ひび》く。

しかも段々と色鮮《いろあざ》やかに変色していき、肉汁《にくじゅう》と香《こう》ばしい匂《にお》いをこれでもかというくらい放出している。

三人が三人ともゴクリと喉《のど》を鳴らすのは仕方が無いと言える。幼いミュアも、肉に釘付《くぎづ》けである。

「お、おい、もういいんじゃないか？」

「いやまだだ。この肉が最高に美味くなるのは、ある現象を起こした時だ」

「現象だと？」

すると肉から染《し》み出ていた汁《しる》が、一旦《いったん》止まる。そこで縛ってあった糸を切る。すると驚いたことに、肉が徐々に膨《ふく》れ上がっていく。

「お、おいこれは⁉」

「これが肉膨張《ぼうちょう》だ！　《アクアハウンドの肉》だけが、こうして肉から余分な脂《あぶら》が出たら、膨らんできやがる。大体三倍くらいはデカくなる」

三倍は凄《すご》いと思った。元々の大きさでさえラグビーボールの球くらいあるのだ。それが三倍なので、かなり大きい。

そして膨張がピークに達した時、プルンプルンと、肉らしくない様相《ようそう》を呈《てい》してきた。

これは本当に肉なのかと思ってしまったが、匂いは間違《まちが》いなくそうだと教える。気づけば唾液《だえき》の分泌《ぶんぴつ》が止まらなくなっている。

「よしミュア、容器を出してくれぃ！」

「うん！」

アノールドのテンションもＭＡＸのようだ。ミュアも嬉《うれ》しそうに頷《うなず》きながら袋から三つの容器を取り出す。

ミュアはアノールドから、彼《かれ》が腰《こし》に携帯《けいたい》していたナイフを受け取り、肉に素早《すばや》く横一文字に刃《は》を入れていく。

驚《おどろ》くべきことに、見事に抵抗なくプリンを切るような感じでナイフが進む。三等分にカットすると、それぞれの容器に入れる。

すごい重量感だった。大きさもあるだろうが、その存在感が強いのだ。普通ならこの大きさは食べられないと思うが、不思議なことにこれくらいはペロリといける予感がした。

「あ、ああ！　ま、待って下さい！」

日色は堪《たま》らず食べようとしたが、ミュアが止めてくる。

「何だ？　これ以上は拷問《ごうもん》だぞ」

腹の虫がさっきから警報を鳴らしているのだ。これ以上放置しておくと、何かが生まれてきそうだ。

「あ、す、すみません！　で、でもコレをかけて初めて完成なんです！」

彼女が袋から取り出したのは、細長い容器に入ったソースのような物だった。

「それは？」

「《オルチーの実》で作った特製ソースです」

「……よく分からんが、それをかけるともっと美味くなるんだな？」

「ああ、やみつきどころか、昇天《しょうてん》しちまってもしんねえぜ？　何てったってミュアが作ったんだからな！」

「お前が？」

「あ、その……はい」

アノールドが「へへへ」と含《ふく》み笑いを浮《う》かべる。相当ミュアが作ったソースに自信がありそうだ。ミュアは照れ笑いを浮かべている。

「ふっ、面白い。その提案に乗ってやろう！」

ソースはケチャップのような色をしてはいるが、ドロドロしているものではなく、どちらかというとサラサラしている。それからは、微《かす》かに果実の甘い香《かお》りが漂《ただよ》ってきた。

「よし！　これでホントに完成だ！」

「うんうん！」

「ふむ」

それぞれが反応する。

「「いただきます」」

日色は貸してもらったフォークをナイフ代わりにして肉に入れてみるが、いとも簡単に寸断する。柔《やわ》らかさ抜群《ばつぐん》だ。適当な大きさに切って口へと運ぶ。

「あむ――――っ⁉」

――――――――脳天に衝撃《しょうげき》が走るっ！

（な、無くなったっ⁉）

そう、口の中に入れたのにもう溶《と》けて無くなっていた。だが決して物足り無くはない。無くなりはしたが、舌の上では旨味《うまみ》が強烈《きょうれつ》に刺激《しげき》を与《あた》えてくる。

（こ、これは――――っ！）

次の肉を口に運ぶ。そしてまた運ぶ。

（止まらないっ！）

もう強制的に体が動いているように感じる。肉を食べることを全身が求めている。とても柔らかくジューシーで、一口で肉を何口も口にしたような重量感がある。

しかし重くは無い。まだまだイケる。これを加速させているのは――

（このソースだな）

甘く、少し酸味が効いたソースが、肉にサッパリ感を与え、更《さら》に食欲《しょくよく》を刺激してくる。

幾らでも食べ続けられる。他《ほか》の二人も、目の色を変えたようにがっついていた。

そしてかなりの大きさだった肉は、あっという間に無くなった。三人は恍惚《こうこつ》の表情を浮かべている。

これほどの衝撃を与えてくれるとは正直思っていなかった。日色は、あの時、アノールドたちを助けておいて本当に良かったと思った。

「……ふぅ、どうだった小僧《こぞう》？　この肉は？」

アノールドの言葉に、目を閉じて余韻《よいん》に浸《ひた》っていた日色は微かに目を開け、生温かい息を小さく吐《は》く。

「よくやったぞ、下僕《げぼく》ども」

「そうだろうそうだろう。何てったってこの肉はって誰《だれ》が下僕だ誰が！」

「だから冗談《じょうだん》だ。それとあまり騒《さわ》ぐな。食後の気分が台無しになるだろうが」

「させてんのはてめえだろが！」

「あわわわわわ！　ケ、ケンカしないで下さいぃ！　おじさんも落ち着いてぇ！」

ミュアが戸惑《とまど》いつつも注意をすると、アノールドは渋々我慢《しぶしぶがまん》する。

「ふん、まあいいか。ところで小僧、お前名前は？」

「先にそっちが名乗れよ」

「だからホントに偉《えら》そうだなてめえはよ！　ったく、俺はアノールド・オーシャン。冒険《ぼうけん》者で料理人だ！」

「料理人？　なるほどな、だからさっきの調理法を知ってたのか」

「まあな。世界各地を回って得た調理の知識だ。光栄だと思えよ？」

「そっちのチビは？」

「いや聞けよ人の話を！」

突《つ》っ込《こ》みを入れたところで、溜《た》め息《いき》交じりにアノールドが続ける。

「その娘《こ》はミュア・カストレイア。旅先で……拾った。今は俺の娘《むすめ》だ」

少し間があったことが気になったが、聞くほどでもないと思った。

「よ、よろしくお願いしますっ！」

ミュアは日色の顔色を窺《うかが》うようにチラチラと見てくるが、あまり気にせず口を開く。

「そうか、この世界では子供が落ちてるのか」

「落ちてるかよ！　何だその落し物感覚は！」

「違《ちが》うのか？」

「ちっげえよ！　この娘は、ある村でちょっとな」

それ以上は語れないという様子だ。ミュアも何故か悲しそうに目を伏《ふ》せている。

（ワケありってことか。ま、興味は無いからいいが）

ドライな日色である。

「そんで？　お前は？」

「何故《なぜ》名乗らなければならない？」

「はあ？　お前何言っちゃってんの？」

本当に予想の斜《なな》め上を行く日色なので、アノールドは対処に困っている表情を浮かべている。

「冗談だ」

「冗談かよ！」

「オレはヒイロ・オカムラだ。冒険者で……読書家だ」

偽名《ぎめい》でも名乗ろうかとも思ったが、見た感じ悪人ではなさそうなので本名を名乗った。それに今はかなり気分が良かったというのが、一番の理由かもしれない。

「何それ！　最後の完全に趣味《しゅみ》だし！」

「……ふふ」

「お、やっぱミュアが笑った顔は可愛《かわい》いなぁ～」

言われてミュアが照れたように頬《ほお》を染める。アノールドの顔も気持ちが悪いくらいに蕩《とろ》けている。そんなアノールドをジト目で見つめる。

「…………変態幼女趣味？」

「オイコラ待てオイッ！　今聞き捨てならねえ言葉を発しやがったな？」

「うぅ……わたし幼女じゃ……ないもん」

二人が怒《いか》りのベクトルを向けてくる。

「そうだそうだ！　こう見えてもミュアは十二歳だ！　子供も生めるぜ！」

親指を立てて自慢《じまん》するように言っている。だがいいのか？　隣《となり》の幼女が物凄《ものすご》い視線で睨《にら》んでいるが。

「そ、そんな恥《は》ずかしいこと言っちゃダメッ！」

頬を膨らませて怒気混《どきま》じりに窘《たしな》める彼女を見て日色は思うことがあった。

「……さっきから気にはなっていたが、初めて会った時とはまるで雰囲気《ふんいき》が違うな」

てっきり活発とは程遠《ほどとお》い、物静かで怒《おこ》ることなどしない子供だと思っていた。それが戦いが終わってみれば快活に喋《しゃべ》り、表情もかなり豊かである。

「あ？　ミュアのことか？　そりゃそうだろ、飯泥棒《どろぼう》で目つきが悪い、態度が悪い、凶悪《きょうあく》そうな野郎《やろう》が現れれば、可愛いミュアじゃなくても尻込《しりご》みするってもんだぜ」

「よし、どうやら刀の錆《さび》になりたいらしいな？」

「けっ！　やれるもんならやってみやがれ！　俺はミュアを守るためならたとえウンコでも食ってやるぜ？」

「…………それは人として終わってるだろう」

ミュアも複雑そうな表情をして困っている。いや、明らかにドン引きしているようだ。

「はん！　それくらい大事ってこった！」

ワハハと豪快《ごうかい》に笑う彼だが、ミュアが声を掛《か》けてきた。

「あ、あの……さ、さっきは助けてくれて、ありがとうございました！」

「む？　気にするな。見返りも貰《もら》ったしな」

ミュアは日色の言葉を聞いて、ようやく感謝できたことで安心しているのかホッと胸を撫《な》で下ろしている。それでもまだほんの微かだが怯《おび》えの色が瞳《ひとみ》の奥には見えるのだが。

「それにお前が作ったソースもなかなかに美味《うま》かった」

「……え？　ほ、ほんとですか？」

「オレは美味いものは美味いと言う。やるな、お前」

「ふぇ……あああのあのあの……その…………ありがとう……ごじゃいましゅ」

噛《か》んだのは分かったが、別に突っ込むようなことでもないと思ったので無視する。だが日色の言葉で頬を赤らめているミュアを見たアノールドの顔が若干不機嫌《じやっかんふきげん》になる。

それでもミュアは褒《ほ》められて嬉《うれ》しそうなので、言及《げんきゅう》することを我慢《がまん》した。

「ところでヒイロ、聞きてえことがあんだが」

「オレの能力については一切《いっさい》何も話さないぞ」

「うぐ……」

やはりそのことだったかと先に手を打った。

「け、けどよぉ、あんな魔法《まほう》見たこともねえ。剣《けん》を伸《の》ばすなんて魔法はな」

「剣じゃない。刀だ」

「刀？　そういやよく見てなかったが、そりゃ刀か？　なかなかの業物《わざもの》っぽいな」

「業物か知らんが、使い易《やす》さは抜群だな」

「ふ～ん、それでさっきの……」

「魔法については教えんぞ？」

「何でだよぉ！　いいじゃねえか！　こうして肉も食わせてやったろ！」

「それの対価は戦闘《せんとう》参加だろ？　もう終わった話だ」

「うぐぐ……」

箸《はし》にも棒にも引っ掛からないとはまさにこのことである。

「というかだ、よくそんなに他人のことが気になるな？」

「あ？　まあ、曲がりなりにもこうして一緒《いっしょ》に食事した仲だしな。それに悪い奴《やつ》でもねえみてえだし」

「そんなことどうして分かる。オレは一応人間だ。そこの『獣人族《じゅうじん》』のチビを襲《おそ》うかもしれないぞ？」

「────っ⁉」

瞬間《しゅんかん》ミュアは顔を青ざめさせて思わず帽子《ぼうし》を両手で押さえ、アノールドは剣に手を掛ける。その顔には敵意を孕《はら》ませている。だがその様子を日色は平然と見つめていた。

「な、何のことだ？」

「その反応だけで十分だ」

アノールドの反応が、日色の言ったことが正解だと教えている。

「く………何で分かった？」

「……ん」

指をある場所へと向ける。そこには────ミュアのお尻《しり》があった。

「き、貴様ぁ！　ミュアをいかがわしい目で見てたのかゴルァッ！」

盛大な勘違《かんちが》いをしているようなので、仕方無く教えることにした。

「よく見てみろ、さっきからウネウネと動いてるぞ……尻尾《しっぽ》が」

「へ？」

今度はミュアが驚《おどろ》く番だった。慌《あわ》てて自分のお尻を確認する。そしてハッと息を呑《の》む。

フリフリフリと、銀色の毛に覆《おお》われたフサフサ尻尾がスカートの中から顔を覗《のぞ》かせていた。

「お、おいミュア……」

アノールドも固まってしまっている。

「ご、ごっごごごめんなさいぃ！」

どうやら肉のあまりの美味さについつい気持ちが緩《ゆる》んで、服の中に隠《かく》していた尻尾を出してしまったようだ。

「尻尾は『獣人族』の象徴《しょうちょう》の一つだろ？　それにその頭に被《かぶ》ってるやつ、それはもう一つの象徴である獣耳《けものみみ》を隠すためじゃないのか？」

「………確かにこの娘は『獣人族』だ。けどミュアは……俺たちは何も悪いことなんかしてねえ！　だから誰にも言わないでくれ！」

真剣《しんけん》な表情を向けてくる。日色はただジッとアノールドを見つめている。

日色が獣人を排斥《はいせき》するような人物かもしれないと思っているのか、瞬間的に顔を真っ青にしたアノールドは、すぐさま剣を抜《ぬ》けるように身構えている……が、それも無駄《むだ》になる。

「言う？　何でオレが？　チビが人間だろうが獣人だろうが、オレには何の興味も無い」

「……は？」

二人はポカンとなる。

「大体種族の違いだけで、そこに生きてるのは変わらんだろ？」

「お、お前……」

「そんなこと、いちいち気にするより、オレは本でも読んでた方がずっと生産的だと思うがな。種族の違いなんかより、飯の美味さや本の内容の方が普通《ふつう》大事だろ？」

何を馬鹿《ばか》なことを、という感じで言う日色を見て、アノールドは大笑いをする。

「……ハ……ハハ……ハーッハッハッハッハ！　お前面白《おもしれ》え奴だなヒイロよ！」

「オレを見て笑うな、刺《さ》すぞ？」

他人を笑うのは得意だが、笑われるのは腹が立つ日色だった。アノールドは日色の言葉を無視して、自分の膝《ひざ》をパンパンと叩《たた》いて笑う。

「いやいや、そうかそうか。そうだよな、お前みたいな奴も中にはいるんだよなぁ」

そう言うとアノールドは何を思ったか尻を向けてくる。

「……何の真似《まね》だ？」

急に顔の前に尻を向けてきたので頬を引き攣《つ》らせる。やはり一度刺そうかと本気で悩《なや》む。

「ま、見てろって」

すると服をたくし上げて、そこからニョロッと尻尾が出てきた。日色は少し目を見開く。

「……お前もそうだったのか？」

「おう、俺は、俺たちは『獣人族』だ！」

話を聞いてみれば、彼らはこの先の国境を越《こ》え、『獣人族』の大陸へと帰るところらしい。

だがここは『人間族』の大陸なので、今の世界情勢の中、自分たちの正体を知られると、間違《まちが》いなく災《わざわ》いを呼び込《こ》んでしまう。

『魔人族《まじん》』相手よりは理解があるので、即座《そくざ》に殺されたりとかはないだろうが、それでも皆《みな》の目を引きつけてしまうのは否《いな》めない。

それに過激派だって中にはいる。そんな連中を嫌《いや》というほどアノールドは見てきた。だからこそ正体を隠し、人間を装《よそお》っているのだ。

日色はそこで、アノールドが獣人だとしたらあるものが無いと思い、彼の頭をチラリと見る。その視線に気づいたアノールドは短く笑い口を開く。

「どうして獣耳が無い……か？」

そう、彼は被り物はしていない。それなのに獣耳が見当たらない。それどころか人間のような耳がついている。だから完全に『人間族』だと思っていた。

「知りたいか？」

「別に」

「そうかそうか、そんなに知りたいなら教えてやる」

「いや、聞いてないが？」

「まあまあ、いいだろ？　それに……お前にも、というより『人間族』に全く関係ねえ話でもねえしさ」

その言葉を受け、何も返答を返さないうちにアノールドは話す。

「これはだな……奪《うば》われたんだよ」

「奪われた？」

「ああ、俺は元奴隷《どれい》だからな」

奴隷制度。それは主に人間が獣人を虐《しいた》げるために作られた制度である。ほとんどが幼い獣人を誘拐《ゆうかい》し、『魔錠紋《まじょうもん》』という紋章《もんしょう》を体に刻む。

それは逃亡《とうぼう》、反逆防止の証《あかし》であり、もし企《くわだ》てを実行した者は、体の魔力《まりょく》に反応させて激痛を与《あた》えるものである。

遥《はる》か昔、獣人がまだ国を持たず、力も地位も権力も無かった時代に、人間の家畜《かちく》奴隷として、多くの獣人が人間に奴隷化させられたのだ。

今は奴隷制度自体は無くなっているのだが、裏社会ではいまだに息づいていて、奴隷市場なども開かれているという。

アノールドもその被害者《ひがいしゃ》であり、奴隷として買われた先で、人間に耳を引き千切られたらしい。

その時、たまたま虫の居所が悪かったというだけで、彼は獣人の誇《ほこ》りである耳を永遠に奪われたのだ。

「そういうことか」

「俺は何とかして『魔錠紋《まじようもん》』を消して、逃《に》げ出したってわけだ。あ、ちなみにこの人間の耳は作り物だぜ？　ほれ、本物にしか見えねえだろ？」

確かに見た目からは本物の耳にしか見えない。彼が言うには知り合いに作ってもらったというが、確かに獣人という種族を隠すには、良い隠れ蓑《かくみの》になる。

「それは簡単に消せるものなのか？」

「いや、主《あるじ》以外は消せないはずだ。けど主が死ねば自動的に消える」

「それじゃオッサン……」

「ああ、俺自らは手を出せなかったが、俺の、いや俺たち奴隷の処遇《しょぐう》を知った人物がいてな。その人が助けてくれた」

　主が死んだことで、晴れてアノールドは自由の身となったのだ。その話を聞いているミュアも、シュンとなって悲しそうな表情をしている。

「まあ、それで晴れてフリーダムになった俺は、世界を旅してなりたかった料理人になったってわけだ！　どうだぁ！　輝《かがや》いてるだろっ！」

「輝いてるかどうか知らんが、そうか、それはなかなかにハードな人生を送ってるな。普通なら人間を見て恐怖《きょうふ》してもおかしくないはずだが？」

　こうやって日色と話していること自体が不思議だ。アノールドは自嘲《じちょう》するようにフッと笑《え》みを溢《こぼ》す。

「そんなもん、もうとっくの昔に通り過ぎちまったよ。それに、俺を助けてくれたのも人間だったしな」

「オレだったら、間違いなく復讐《ふくしゅう》するだろうな。あの手この手でな……」

　日色の背後からドス黒いオーラが漂《ただよ》ってくる。

「こ、怖《こえ》えなお前……フフン、それでもまあ、俺は今が幸せだからそれでいいんだけどよお」

　ミュアの頭を撫《な》でながら言う。彼女も気持ち良さそうに目を細めている。

「そういやヒイロ、お前は何でこんなトコに？　何かのクエストか？」

「答えるぎ――――」

「義務は無いとかは止《や》めろよ。せめてそれくらい教えてくれたっていいだろ？」

別に話しても実害は無いと思うが、話す理由もこれまたない。ただのアノールドの好奇《こうき》心《しん》だろうし。アノールドだけではなく、ミュアも聞きたいのかジッと見つめてくる。

しばらく沈黙《ちんもく》が続くが、根負けしたように日色は溜《た》め息《いき》を漏《も》らす。

「…………はぁ、オレの目的は……」


「国境越《ご》えだ」

「……え？　そ、それって……？」

「ああ、お前らと同じだな」

「何でだよ！　何で人間のお前が獣人の大陸なんかに来るんだよ！」

「あ？　そんなもん行ってみたいからに決まってるだろうが」

「…………はい？」

「オレはこの世界の情勢など知らん。興味も無い。オレはオレのやりたいようにやる。邪《じゃ》魔《ま》する奴《やつ》らは最悪殺してでも押し通るぞ」

沈黙がしばらく続く。

「…………ぷっ」

アノールドは吹《ふ》き出し大笑いを浮《う》かべる。また自分を見て笑われたので額に青筋《あおすじ》が立つ。

「何がおかしい変態」

「その肩書《かたが》き定着させるつもりかコラァッ！」

「大体、オッサンたちが今やってることを、オレがやるだけだろ？」

アノールドは突如真剣《とつじょしんけん》な表情をして言う。

「危険なんてもんじゃねえぞ？　特に今の『獣人族《じゅうじん》』はあらゆる意味で好戦的になってる。人間なんか見かけたらただじゃすまねえかもしれねえぜ？」

「上等だ、返り討ちにしてやる」

「……本気なんだな？」

「当然だ。避《さ》ける理由が無い」

「獣人は強《つえ》ぜ？」

「だがオレの方が強い」

《文字魔法《ワード・マジック》》もあるし、何とかなると信じている。

「ほう、言うじゃねえか。増々《ますます》お前のこと知りたくなったぜ」

「止めろ、寒気がしてくる。あいにく男色《だんしょく》の気《け》は無いぞ」

「俺もねえよチクショウが！　誰《だれ》がホモだコラァッ！」

まともな会話を成立させるつもりがねえのかと続けてアノールドが怒鳴《どな》ると、そうかもしれんなと淡々《たんたん》と返す。そのやり取りを見たミュアがまた小さく笑いを溢《こぼ》す。

だが彼女が自分を見て笑っているのが気になり尋《たず》ねてみる。

「ん？　何がおかしい？」

「あ、ごめんなさい！」

「いや、ただ聞いただけなんだが……」

「あ……そのぅ……ヒ、ヒイロさんはいい人なんですね……って思っただけで」

オレがいい人？　そんなこと言われたこともほぼ皆無《かいむ》だし、まさか言われることがあるとも思っていなかったので、何だか逆に気持ちが悪い。

「おいおいミュア、コイツのどこがいい人なんだ？　悪い人の間違いだろ？」

「そ、そんなことないよ！　ヒイロさんはわたしを助けてくれたし、それに………と、とにかくいい人なの！」

ミュアの剣幕《けんまく》に押されたアノールドは頬《ほお》をかきながら押《お》し黙《だま》る。

「まあ、オレがいい人なのかどうかはどうでもいい。それよりその帽子《ぼうし》の下、見せてくれないか？」

「……え？」

ミュアは突然《とつぜん》の申し出に困ったような表情を浮かべるが、日色としては尻尾《しっぽ》だけでなく獣耳を目にしたいという欲求《よっきゅう》がある。やはり異世界に来たのなら目にしておきたい。

「ダメか？」

「えっと……あ……はい、それじゃ……」

恥《は》ずかしそうに上目遣《づか》いでこちらを見てくるが、彼女が帽子に手をやると、ゆっくりとその下に隠《かく》れていたものが姿を現す。

「ほうほう、なるほどな」

「う、うぅ……何か恥ずかしい……です」

そこには紛《まご》うことなきアニメや漫画《まんが》で見たような獣耳《けものみみ》が存在した。ピクピクと動くそれが、実に可愛《かわい》らしく映っている。

この世界に来て、見てみたかった獣人をこんなにも早く拝むことができるとは幸先《さいさき》良いと思い満足気に頷《うなず》く。

本音を言えばじっくりと観察して触《さわ》ってもみたかったが、さすがにそれは初対面でやることでもないし、相手は幼くても異性であることを考えて我慢《がまん》することにした。

「もういいぞ、ありがとな」

「あ、は、はい」

ミュアの頬は相変わらず上気していたが、帽子を被《かぶ》り直すと顔まで隠すように俯《うつむ》いた。

どうやらかなり恥ずかしかったようだ。

そんなミュアを見て、「むむむ！」と不満気に唸《うな》っていたアノールドが、日色とミュアの間に流れているムードが気に入らないのか、二人の間に体ごと入ってきた。

「何だオッサン？」

「い、いや〜別に何でもねえぞ」

「何か白々しいんだが？」

突然間に入って来て下手な口笛を吹く姿を見て何も思わない者はいないだろう。

「と、とにかく、ここで会ったのも何かの縁《えん》だ。行き先は同じなんだし、一緒《いっしょ》に来いよ？案内してやっから」

「ふざけるな。なに上から物を言ってる？　オレは一人で……」

そう言って少し思案顔を作る。急に黙ったのでアノールドが聞いてくる。

「ど、どうしたんだよ？」

「……ついて来て下さいの間違《まちが》いだろ？」

「ぐっ……このガキは……ホントまったくよぉ」

歯ぎしりしながら睨《にら》みつけるが、すぐさま溜め息に変わる。

「はぁ～、お前には口では勝てそうにねえわ。ま、そんじゃ一緒に行くとするか」

「勝手にしろ」

本来なら一人で行動するつもりだったが、獣人のことを学ぶのに良い機会だと思った。

これから向かう獣の大陸に、予備知識無く入るよりは断然あった方がいい。だから同行することを許可したのだ。

「あ、それとだ」

突然アノールドが凄《すご》んだ顔つきで睨みつけてくる。

「何だ？」

「一つ忠告しておくぞ」

「だから何だ？」

「…………ミュアには手を出すなよ」

「オレはノーマルだ変態め」

「ふっざけんな！　俺こそドノーマルじゃボケェ！」

「ん？　それは初耳だな。オレは幼女に興味は無いが、お前は幼女にしか興味が無いんじゃなかったのか？」

「よしよし～し、表に出ろやこの腐《くさ》れガキポンタンがぁっ！」

「ここはもうすでに表だロリコン」

「その名で呼ぶなぁぁぁっ！」

二人の変わらずのやり取りを見て、やれやれと肩《かた》を竦《すく》めるミュア。しかし誰にも聞こえないような呟《つぶや》き声で、

「わたしは幼女じゃないもん」

と言ったのを聞いた者は誰もいなかった。


「なあヒイロ、さっきの戦いでも感じたけどよ、お前ってレベル幾《いく》つなんだ？」

【トーチュー山脈】を越《こ》えている最中《さなか》、アノールドから質問が飛ばされた。

「何故《なぜ》そんなこと聞く？」

「いやな、お前って妙《みょう》な魔《ま》法《ほう》使うけど、レベルはあんま大したことねえんじゃねえかと思ってな」

「何の根拠《こんきょ》があってそんなこと思う？」

「だってよ、お前って確かに『人間族』にしては妙に身体能力高《たけ》えし、殺気もガキとは思えねえけど、何かこう戦いの動き方が少し素人臭《しろうとくせ》え」

「…………」

「だから強えは強えけど、戦闘《せんとう》経験はそれほどでもなくて、レベルもまだ低いんじゃねえかと思ってな」

アノールドの観察眼はなかなかのものだと感嘆《かんたん》した。確かにこの【イデア】に召喚《しょうかん》されてからまだそれほど時間は経《た》っていない。

様々なクエストをこなし、モンスターとも山ほど戦ったと思ったが、熟練者の冒険《ぼうけん》者と比べると可愛いものだろう。

それを先の戦いでしっかりと観察していたというのだから、アノールドの観察力には舌を巻く思いだった。

「さあな、レベルが低かろうが高かろうが別に関係無いだろう？　要は強いか弱いかだ」

「あのな、これから一緒に旅するんだぜ？　戦闘時も互《たが》いに庇《かば》うこともあるかもしれねえ。だから互いのレベルを知ってた方が何かと都合が良くねえか？」

アノールドの目をジッと見つめる。そこには偽《いつわ》りを含《ふく》ませた濁《にご》りは感じなかったし、彼の言うことも正論だと思った。

「そうだな、一理ある」

「なら」

「オッサンは？」

「は？」

「オッサンは幾つなんだ？」

「ああ、俺か？　俺は３１だ」

迷うことなくスラリと言葉を出した彼を見つめる。

（……一応確かめておいた方がいいか？）

魔力《まりょく》を人差し指に集中させると、彼らに見えないように素早《すばや》く文字を書く。

（この文字なら調べることができるだろう）

『覗』

これは相手の思っていることや、《ステータス》などを覗《のぞ》くことが可能になる。これでアノールドの言っていることの真偽《しんぎ》を確かめることができる。

アノールド・オーシャン

Lv　31
HP　305／315
MP　158／158
EXP　46879
NEXT　5250
ATK　334（378）
DEF　299（315）
AGI　278（283）
HIT　206（208）
INT　95（96）
《化装特性》風
《化装術《けそうじゅつ》》風の牙《きば》・風陣爆爪《ふうじんばくそう》・爆風《ばくふう》転化
《称号《しょうごう》》風の友・元奴隷《どれい》・料理人・親バカ・暑苦しい男・変態と呼ばれた男

ミュア・カストレイア
Lv　13

HP　107／111
MP　82／82
EXP　2655
NEXT　533

ATK　102（105）
DEF　100（108）
AGI　99（102）
HIT　77（78）
INT　54（55）

《化装特性》

《化装術》

《称号》　奪《うば》われた者・マイエンジェル・キューティフラワー・我慢の子

確認《かくにん》した結果、彼のレベルが31であることと、隣《となり》にいるミュアのレベルが13だということを確認できた。アノールドの称号に関しては思わず吹《ふ》き出してしまうものがあった。

だがアノールド自身は、嘘《うそ》を言っていないことが証明された。ここまで慎重《しんちょう》になることは無いかとも思ったが、『覗』の文字効果も確かめたかったからちょうど良かった。

そして彼らの《ステータス》の中で《化装術》というのも気になった。本来そこには魔《ま》法《ほう》のことが書かれてあるのだが、どうやら獣人《じゅうじん》は違《ちが》うらしい。

（さっき使ったほとんど魔力を感じなかった技《わざ》がこれってことか……なるほどな）

今度《化装術》についても時間があったら調べてみようと思った。

「………オレは23だ」

アノールドが正直に答えたので、こちらも正直に答えた。別にレベルくらい教えても支障は無いと判断したからだ。

だが今回のことで、アノールドはかなりの馬鹿《ばか》正直ということも確認できた。それにお人好《ひとよ》しな部分もある。総合して言えば良い奴《やつ》ということだ。

自分は疑り深い性分だが、少なくとも彼らは自分を騙《だま》そうとするような者たちではないことが分かった。

（まあ、まだ完全に信用するのは無理だが、しばらくコイツらと一緒《いっしょ》にいるのも面白《おもしろ》いかもしれないな）

そんなふうに思っていると、

「よっしゃあっ！ やっぱ俺の方がレベル上だった！ よっしゃ勝ちぃぃぃ！」

もういい歳《とし》なのに、子供のようにガッツポーズをして喜びながら、こちらに優越《ゆうえつ》感を宿した表情を向けてきたので少しムッときた。

「ふん、レベルだけが全てじゃないだろ？ 何が嬉《うれ》しいんだ変態？」

「変態言うなっ！ 負け惜《お》しみかコノヤロウ！」

「……何だと？」

「あわわわわ！」

二人が睨み合うので、ミュアはどうしていいか分からずおどおどしている。

「なら試しに仕合ってみるか？」

「おお、それは面白えじゃねえか！ ここらで大人の強さってもんを見せつけといてやるぜ！」

※

言い争いを始めた二人を見て、このままでは口喧嘩《くちげんか》の域を越えてしまうと思ったミュアは、

（と、とにかく何とかしなきゃ！）

何を思ったかその場から勢いよく走り出した。それを見たアノールドがハッとなり、彼女の名前を叫《さけ》ぶ。すると彼女はピタッと立ち止まる。

「は、早く行こうよおじさん！　ここを越えたらすぐに村があるんでしょ！」

「あ、ああ」

「わたしお腹《なか》減っちゃった！　だから早く行こ！」

またも走り出したミュアを見て、一人で行かせるわけにもいかなく、

「ああもう、ヒイロ！　この続きはまた今度だ！」

「恥《はじ》をかかずにすんだなオッサン」

「そりゃお前だバーカ！」

ミュアは二人がそんなやり取りをしているが、自分の後を追って来ているのを確認して

ホッとした。

（よ、良かったぁ～。……もう、おじさんもヒイロさんもケンカするなんてダメなんだからね！）

頬《ほお》をぷく～っと膨《ふく》らませながら怒《いか》りを露《あら》わにするが、残念なことに全く怖《こわ》くないのが面白い。それどころかほとんどの者は可愛いと思う表情をしている。

だが何とか自分の機転でそれを防ぐことができたので満足気に頷《うなず》く。とにかくこのまま二人の頭が冷えるまで走り続けようと思った仲介役《ちゅうかいやく》のミュアであった。

第四章　獣の檻

旅仲間であるアノールドとミュアとともに、国境の街である【サージュ】へと向かう道すがら、【ウォンド】という村に一泊《いっぱく》する予定で立ち寄った。

だが村の雰囲気《ふんいき》が少し変だった。村人が少しザワザワとしていて、まるで台風か何かがやって来たのかと思うくらい、建物が破壊《はかい》されていた。

アノールドは村人に何があったのか尋《たず》ねた。

「ここで獣人が暴れたんだよ」

その言葉にアノールドがピクリと肩《かた》を震《ふる》わす。

「……へ、へぇ、でも何でまた獣人が？」

平静を装いながら情報をとにかく得ようとする。

「何でもその獣人は冒険者《ぼうけん》だったらしくてね。よくこの【ウォンド】にも立ち寄ってたみたいなんだ。今日も同じようにその獣人がやって来た時、急に大きな馬車が三台ほど村に入ってきたんだよ」

馬車と聞いて途端《とたん》に顔を青ざめさせるアノールド。

「そ、その馬車からはどんな連中が出てきたんだ?」

「ああ、そう言えば奇妙《きみょう》な服装をしてたっけなぁ」

アノールドは村人からその連中の情報を聞いて、増々《ますます》顔から血の気が失われていく。日色とミュアは、少し離《はな》れた所にいるのでアノールドの様子に気づいていない。

「そ、そうか……」

言葉を絞《しぼ》り出すように返答を返す。

「その連中が突然《とつぜん》その獣人に対し、大人しく拘束《こうそく》されろって言ってね。もちろん獣人は断ったさ。けどそれが引き金になったようで」

そこからはその馬車から出てきた連中と獣人との戦いになったそうだ。冒険者で、しかも身体能力が高い獣人は手強《てごわ》い。だから戦闘《せんとう》もかなり激しさを増しただろう。

それはこの村の有り様を見れば一目瞭然《いちもくりょうぜん》である。家の屋根が吹き飛ばされていたり、井《い》戸《ど》が破壊されて、畑も荒《あ》らされている。本当に台風が通った後のような光景だ。

「まったく、迷惑《めいわく》な話だよ。いや、獣人に対してじゃないよ。もちろんこんな村の中で戦った獣人にも非はあるだろうけど、一番は有無を言わさず戦いを強《し》いた奴らの方だよ」

村人は思い出しながら憤《いきどお》りを覚えている。相当理不尽《りふじん》な行動をその連中がしたのだろうことは、彼《かれ》の言葉でよく分かる。

「その……獣人はどうなったんだ？」

「ああ……まあ、そうだね。言いにくいことなんだけど……」

相当に言い辛《づら》いのか、顔を渋《しぶ》らせている。

「やっぱり連れ去られたのか？」

だがアノールドが思っていた答えとは、全く逆の言葉が返ってきた。

「…………いや、まだここにいるよ」

「ホ、ホントか！　そ、それは良かった！」

正直な思いだった。同じ獣人が理不尽な拘束などされて喜べるわけがないのだ。どんな経緯《いきさつ》があったにしろ、その獣人が連れ去られることなく、まだこの村にいるのであれば、それは喜ぶべき事実だ。

「あ、会わせてもらったりできねえかな？」

アノールドは是非《ぜひ》、その獣人と情報交換《こうかん》がしたかった。しかし更《さら》に顔を曇《くも》らせる村人。

「……うん、まあ会うことはできるよ」

奥歯に物が詰《つ》まった言い方が気になり眉《まゆ》をひそめる。

「な、なら会わせてほしいんだけどな」

「…………こっちだよ」

村人も、渋々《しぶしぶ》といった感じではあるが、アノールドを先導してくれるようだ。

「おい、ちょっと出かけてくるから先に宿で待っててくれ！」

アノールドの呼びかけに、日色は軽く肩を竦《すく》めその場から離れる。だがミュアはヒヨコヒヨコと、アノールドの元へ駆《か》け寄ってくる。

「おいミュア、お前もヒイロと一緒に……」

「ううん、わたしも一緒に行く。何かあったんでしょ？」

ミュアは鋭《するど》いなと思いながら軽く頭を撫《な》でると、

「そっか、なら来い」

「うん！」

二人で村人の背を追いかけた。


アノールドは今目の前に映っている光景に愕然《がくぜん》として固まっていた。

「これが……彼だよ」

村人が示す獣人《じゅうじん》の墓が目の前にあった。

「こ、これって……」

「手の施《ほどこ》しようもないくらい傷を負わされてね」

ミュアは話を聞いていなかったので事情の全部は呑《の》み込《こ》めないみたいだが、それでもアノールドの雰囲気を感じ、悲しい出来事があったのだということは理解しているようだ。

「……おじさん？」

「……ミュア」

アノールドは悲痛な表情で彼女の目を見つめる。

そんなアノールドの、今にも泣きそうな目を見たミュアは、途端に足場が無くなるような不安が走ったような感情を表情に出していた。

「あまり苦しまずに逝《ゆ》けたことが、何より幸いだったかもしれないね」

村人のその言葉が物凄《ものすご》く他人事《ひとごと》に思えた。いや、実際に他人事なのだが、何故か今は人間にそんな言葉を吐《は》いてほしくはなかった。

（くそ……イライラするな！　こんなこと、今までにもあったじゃねえか！）

村人たちは誰《だれ》も悪くは無い。悪いのは誰か分かっている。それでもこの下で眠《ねむ》っている獣人の思いは、同じ獣人の自分たちにしか分からないのだと思ってしまっている。

即席《そくせき》に作られたであろう墓を見つめる。木の棒を十字にして地面に突《つ》き刺《さ》している。

(何でこんなひでえことができんだよ……俺の時も……この娘《こ》の時も)

ミュアの頭に手を置いて歯を嚙《か》み締《し》める。その手が微《かす》かに震えているのをミュアは感じ取ってくれているようだ。彼女はそっとアノールドの服を摑《つか》み、体を寄せる。

「ミュア……」

彼女の思いが届いたのか、少しだけ頰を緩《ゆる》めて、

「ありがとな」

そう言って彼女の頭を優《やさ》しく撫でる。彼女も気持ち良さそうに目を閉じている。

ポツポツポツポツ……

その時、雨が降ってきた。アノールドはしばらく空を見上げた後、再び視線を墓に戻《もど》す。

(理不尽だったろう……悔《くや》しかったろう。この雨は、アンタが泣いてるのかもしれねえな)

壊《こわ》れ物を扱《あつか》うかのように、ゆっくりとした手つきで地面に突き刺してある棒に触《ふ》れる。

(仇《かたき》をとるなんてことは言えねえ。けどせめて、安らかに眠ってくれ)

両手を合わすアノールドを見て、ミュアも同様にする。

そして終わった後、アノールドはゆっくりと顔を村人に向ける。

「なあ、一つ聞いていいか？」

「何だい？」

「その馬車で現れた連中は、何て名乗ったんだ？」

「ああ、それは確か……」

予想されたその言葉にアノールドは覚悟《かくご》していたが、ミュアは驚愕《きょうがく》の表情を表した。

「こう名乗ってたよ、《獣《けもの》の檻《おり》》って」

※

丘村日色《おかむらひいろ》が宿のベッドで寛《くつろ》いでいると、ようやくアノールドたちが帰って来た。

何やら二人とも深刻そうな表情をしていたが、向こうから話すつもりも無さそうなので聞くことはしなかった。

雨も降ってきたようで、しばらくは外にも出られないなと思い、宿で貸し出していた本を借りて読んでいるところだったのだ。

部屋の中は誰も喋《しゃべ》らず、沈黙《ちんもく》が長い時間支配していた。すると突然、

「うがぁぁぁぁぁぁぁぁぁぁぁっ！」

アノールドが壊れたように叫《さけ》び出した。ミュアはもちろんのこと、日色も思わず本を落としたほど驚《おどろ》いた。

「ああもう！　モヤモヤしてても始まらねえ！　つうかこんなの俺《おれ》じゃねえっ！　ミュア、ヒイロ！　何か食いに行くぞぉ！」

どうやら何か悩《なや》んでいたようだが、いつまでもウジウジと貝のようになっていても仕方が無いと判断したのか、大声を出して気持ちを奮い立たせたようだ。

「どうでもいいが急に叫ぶな。おかしくなったと思って、医者を呼ぶところだったぞ」

「その憎《にく》まれ口《ぐち》が今じゃ何となくスッキリ気持ち良いぜ」

「…………マゾか？」

「うるせえっ！　とにかく何か食いに行くぞ！　ほら、ミュアも！」

「え、あ、うん！」

同じように沈《しず》んでいたミュアだが、アノールドが元気を出そうとしているのに、自分がいつまでも落ち込んでいるわけにはいかないと思ったのか、元気良く返事をした。

「それはいいが、この村に飯屋なんてあるのか？」

「そんなもん探しゃあるだろ？　無けりゃ宿で何か作ってもらえばいいだろ！」

「まだ飯時でもないが？」

「金払《はら》えばやってくれるっての！」

「…………その金はオッサンが払うのか？」

「いやいや、自分のは払えよ！　あ、いや、誘《さそ》ったのは俺なんだし、仕方ねえな、今日は俺の奢《おご》りだ！」

「なら行こう」

さっと本を片して立ち上がる。

「や、やっぱ現金な奴《やつ》だなお前は」

「貰《もら》えるものは貰う。損をせず得をするのに断る理由が無い」

「はは、お前らしいわその理屈《りくつ》」

三人は宿で村に飯屋があるか尋《たず》ねて、どうやら一軒《いっけん》あるらしいので、そこへ向かった。

そこは小さな小料理屋みたいな造りだったが、なかなか味は良かった。何よりも値段が安いのにボリュームが満点だったのがグッドだった。

ミュアも嬉《うれ》しそうに小さな口を目《め》一杯《いっぱい》開けて頬張《ほおば》っていた。改めて思ったのだが、彼女は小さな体なのに結構食べるのだ。

無論アノールドも食べるのだが、獣人という種族はもしかしたら大食漢《たいしょくかん》なのかもしれないと思い、新たな発見ができて少し得したと思う日色であった。

※

満腹になった三人は宿へと帰り、今後の行き先を確認していた。

「これから一応国境を目指すんだな？」

「おう、ヒイロもそうなんだろ？　だからこうして一緒《いっしょ》に旅してるわけだし」

ミュアは二人の言葉を黙《だま》って聞いていた。

「すぐに向かうのか？」

「ん〜別に急いでる旅でもねえしな。けどちょっと気になる厄介《やっかい》事もありそうだし」

厄介事という言葉は呟《つぶや》くような声だったがミュアの耳には届いていた。それは日色にも聞こえていることは分かっていたが、彼が何も言わないので敢《あ》えて話題にはしなかった。

（おじさんはヒイロさんを信用していないのかな……？）

ミュアはそう思うが、彼も必要になったら話すだろうと思い沈黙を守っていた。

「まあ、今のままのペースで進むか。何かありゃ、その時に考えりゃいいしな」

「楽観的だな」

「それが俺の信条だしな。俺は無理はしねえ」

「だがそのチビのことになると？」

「無理を押し通してやる！」

「もう……おじさんは」

ミュアは呆《あき》れたように言葉を漏《も》らすが、その顔はどことなく嬉しそうだ。

「……親バカ変態鬼畜《きちく》ロリコン？」

「長《なげ》ぇよ！　せめて親バカで止めろよな！　あと俺は決してロリコンじゃねえ！」

「も、もうヒイロさんもひどいよぉ！　わたしは幼女じゃないもん！」

プンプンと頰《ほお》を膨《ふく》らませながら言うが、日色には全く通じていないようだ。

「だが十二歳には見えんな」

「うぅ～……」

ミュア自身も自分の体の成長具合にはコンプレックスを持っているので、日色の言葉に反論できず枕《まくら》を両腕《りょううで》で抱《かか》えて唸《うな》っている。

「おほ！　その格好マジ可愛《かわい》いぞミュア！」

「え、あ、そ、そう……かな？」

アノールドにそんなことを言われて恥《は》ずかしくなり、チラリと日色を見てみるが、

「ふあ～」

あくびをして、全くこっちを見ていない日色に対しガクッと肩《かた》が落ちる思いだった。

（む～、何か納得《なっとく》いかないよぉ）

自分でも日色の態度が、何故《なぜ》こんなに気になるのか分からないが、日色があまりにも自分に対し興味が無い素振《そぶ》りを見て、少しムッとしたのも事実だった。

翌日、嘘《うそ》のように晴れ渡《わた》った快晴の下、再び旅に出発した。

※

村から出る時に、モンスターの素材などを換金《かんきん》してもらおうと思いギルドを探すが、この村には見当たらなかった。どうやらギルドが存在しないようだ。

袋《ふくろ》一杯《いっぱい》に入れられた素材をどうしたものか悩む。換金は基本的にギルドがやってくれていて、普通《ふつう》の店では取り扱っていない場合が多い。

「別に金には困ってないだろ？　捨てたらどうだ？」

「お前なヒイロ、そんなもったいねえことできっかよ！　お前が思ってるより結構な金になるんだぜコレ。まあほとんどが《フロッグビーの針》なんだけどな……」

そうして袋を持ち上げて見せつける。金にはそれほど執着《しゅうちゃく》心が無い日色としては、必要以上に稼《かせ》ごうとは思ってはいないのだ。

だがアノールドの次の一言で日色は意見を変える。

「ったく、金がありゃ、貴重な食材とか、お前が好きな本も買えるだろうがよ」

彼の言葉に日色は突然《とつぜん》キョロキョロしだす。

「……どうしたんだヒイロ？」

「何を暢気《のんき》に佇《たたず》んでるんだ？　さっさと換金してくれる奴を見つけるべきだろうが」

「………………はい？」

日色の変わり様にキョトンとするアノールドを無視して、店の中に入って行く。

「……とりあえず行こおじさん」

「あ、ああ」

ミュアの声に渋々《しぶしぶ》頷《うなず》き店に入ると、そこには大柄《おおがら》な男が店主と言い争いをしていた。

「何だよ！　ここには売ってねえのか？」

「そうは言ってもねぇ、置いてないもんは置いてないんだよお客さん」

「けどよ、ここは雑貨屋だろ？《フロッグビーの針》くらい置いてねえのか？」

どうやら探し物があって店を訪ねてきたようだ。男は店に無いことを知ってガックリと項垂《うなだ》れている。そこへ話を聞いていたミュアが小声で言う。

「あ、おじさん、《フロッグビーの針》ならある……よね？」

まさに地獄耳《じごくみみ》のように声を聞き取り耳をピクッと動かした男は、すかさずミュアの前にズカズカとやって来る。

「お嬢《じょう》ちゃん！　それはホントかっ⁉」

「え、あ、そ、その……あぅ……」

いかつい顔で、極《きわ》めつけにスキンヘッドなのでミュアが萎縮《いしゅく》するのは当然だろう。アノールドは彼女の前に立ち、男を睨《にら》みつける。

「おお？　あ、いやすまねえ。つい興奮してよ」

男はミュアの怯《おび》えた姿を見て素直に謝罪する。それを見たアノールドも、それ以上睨むことは無かった。

「まあ、いいけどよ、お前さん《フロッグビーの針》が欲しいんだって？」

男にとっては都合が良いことに、ちょうど日色たちはその素材を持っていた。男はその素材をどうしても欲しいとのことだ。

何でも娘《むすめ》が毒虫に噛《か》まれたらしく、その針があれば治るとのことらしい。そんな話を聞いて黙っていられるほどアノールドは不人情《ふにんじょう》ではない。

男は喜び、手持ちの金をアノールドに手渡《てわた》す。しかも嬉しいことに、他《ほか》の素材も男が感謝の印として買い取ってくれることになった。

「ありがとよ！　これで妻と娘も喜んでくれるってもんよ！」

「まあ、それなら良かったよ」

「おう！　俺はラーブってんだ！　またどこかで会ったら酒でも飲み交《か》わそうぜ！」

そう言って一目散にどこかへ走って行った。日色は駆《か》けていく男の背中を見ながら思う。

（まるで台風のような男だったな。あのスキンヘッドは……）

日色たちにしてみても、身軽になり金も入ったので言うことは無かった。


数日ほどアノールドたちと冒険《ぼうけん》していたが、食糧《しょくりょう》などが心許《こころもと》無くなったので調達しようと思い、近くにあった【パレストス】という街に立ち寄ることにした。

街に入るとすぐに、アノールドが挙動不審《ふしん》にキョロキョロと何かを探《さぐ》るように顔を動かしていた。

「ここにはいねえか……」

アノールドは小さく呟きながら、ホッとして胸《むね》を撫《な》で下ろしている。

「何してるんだ？」

「あ、いや、何でもねえよ」

アノールドは何かを誤魔化《ごまか》すように引き攣《つ》った笑顔《えがお》を浮《う》かべるが、隣《となり》に立っているミュアもソワソワしているところを見ると、彼らにしか分からない何かがあるのだろう。

別段どうしても知りたいわけではなかったので、それ以上は聞かなかった。

すると横を何台かの馬車が通り過ぎていく。広場のような開けた場所まで来てみると、そこに先程《さきほど》の馬車が停《と》まっていた。

荷台から白いローブを身に纏《まと》った者たちがぞろぞろと出てくる。街の住民たちも怪訝《けげん》な表情で何事かと思い唖然《あぜん》と見つめている。

日色も同様の思いなのだが、ふと目に入ったアノールドとミュアの顔色が悪いことに気づき思わず尋ねようとするが、そのアノールドが呟いているのを耳にする。

「……何でこんなトコにまで……」

悔《くや》しそうに歯嚙《はが》みしながら、まるで姿を隠《かく》そうとするかのようにミュアと一緒に身を縮こまらせている。幸いやじ馬が多く集まり、アノールドたちの思惑《おもわく》は通っているようだが、

「おいヒイロ、今すぐここから」

「動くなっ！」

アノールドがヒイロに耳打ちするように声を掛《か》けた瞬間《しゅんかん》、白ローブを身に纏った者の一

人が大きな声で叫《さけ》んだ。

それは特定の誰《だれ》かに対して言ったのではなく、広場に集まっている全員に向けて言ったようだった。

「今から動いた者は、優先的にその身柄《みがら》を調べさせてもらうのでそのつもりでいろ！」

偉《えら》そうに物を言う人物に対し、日色は不愉快《ふゆかい》そうに顔をしかめている。このままでは日色が何かをしそうだと思ったのか、アノールドが日色の服を軽く引っ張る。

「ヒイロ、絶対動くな」

「……？」

何故そんな命令のようなことを聞かねばならないのだと思いつつも、彼の青ざめた表情を見て伊達《だて》や酔狂《すいきょう》で言っているのではないことを知る。

まるで何かに怯えている様子だった。アノールドも、ミュアもだ。

疑問が浮かび上がったままでは気持ち悪いので、その理由を問い質《ただ》そうとアノールドに声をかけようとしたところ、

「この街に『獣人族《じゆうじん》』が入り込んだ！　我々はそれを捕《と》らえるためにここまでやって来た者である！」

その言葉で大体は把握《はあく》できた。相手は堅気《かたぎ》ではない。それは雰囲気《ふんいき》からも理解できる。

恐《おそ》らく『獣人族』を快く思わない連中なのだということは肌《はだ》で感じた。

だからこそ二人はこうも自身の存在がバレないように身を隠そうとしているのだ。しかし相手は『獣人族』の存在を確信しているみたいである。

(オッサンたちの存在はもうバレてるんじゃないのか……?)

ならここでこうして身を縮こませているより、即座《そくざ》にこの場から離《はな》れた方が賢明《けんめい》なのではないかとも思った。しかし彼らは動こうとしない。

怯《おび》える彼らをよそに、もう一度、白ローブの者たちを確認する。

彼らの着用している白いローブの背には、狼《おおかみ》のようなシルエットが描《えが》かれてあり、その上から大きく×印が刻まれてあった。

(狼が×? いや……なるほどな、狼じゃなく『獣人族』が×ってことか)

狼のシルエットは、『獣人族』を表していて、その上に×印を刻んでいるということは、その存在を認めないという意味なのだろうと勝手に解釈《かいしゃく》した。

白ローブの者たちは、キョロキョロと周囲を見回し目的のものを探し始めた。

チラリと横を見ると、アノールドは額から汗《あせ》を流しており、ミュアは目を強く閉じアノールドにしがみついている。

何気無く馬車に目が向き、荷台の端《はし》に重ねてある、ある物に注目する。

辞書のように分厚い本や、それほどページ数が無さそうな薄《うす》い本が合わせて五、六冊ほどあった。

（あれは……本？）

しかも少し年季が入った感じで古書なのかと思った。本に目が無い日色にとって、一度目を通してみたい代物《しろもの》である。

『視』

甚《はなは》だこんなことで魔《ま》法《ほう》を使うのは常人には信じられないだろうが、欲求《よっきゅう》を満たすためなら出し惜《お》しみしないのだ。

この『視』の文字効果は、視《み》たものを軽く調査することができる。これを使えばここからは遠くて確認できない表紙なども、望遠鏡を使ったかのように確認《かくにん》できるのだ。

そしてその目に映った言葉に日色は生唾《なまつば》を飲む。

『グルメ紀行　～大陸の歩き方～　①』

思わず体が震《ふる》えた。これは是《ぜ》が非《ひ》でも読んでその知識を増やさねばと心底感じた。しかも①ということは、と思い他の本も見てみるが、思った通り続巻になっていた。

しかも中には『魔法体系』という本もあり、興味をそそられるものだった。

そしてまだ確認していない本に視線を向けようとしたが、タイトルを少し確認したところで、ちょうど遮《さえぎ》るように白ローブの者が本の前に立つ。

（……ちっ、これじゃ確認できない。…………気になる）

だが下手に動くことができず、どうやれば確認することができるか考える。……答えが出ない。

白ローブの者たちが、周りにいる者たちを順に調べ回っている。特に帽子《ぼうし》を被《かぶ》っている者、ゆったりとした服を着ている者を重点的に調べているようだ。

彼らが判断するのは獣耳《けものみみ》、もしくは尻尾《しっぽ》だ。だからこそ帽子で隠しているのか、ゆったりしている服で尻尾を覆《おお》っているのかを確かめているようだ。

『獣人族』といっても、人間の姿に獣耳と尻尾を付けたような恰好《かっこう》の者がほとんどなので、隠されていればパッと見では判断できないのだ。

また稀有《けう》な存在だが、人間の耳と獣耳両方を持つ《四《よ》つ耳《みみ》》の獣人も中には存在する。

そしてついに、白ローブの一人がこちらに視線を向けて、カツカツと向かって来た。

アノールドたちは気が気でないのか、まるで心臓の音が聞こえてくるかのような動揺《どうよう》ぶりを表情に表していた。

日色は自分には関係無いと思っているので平気な顔をしていたが、アノールドたちはそれどころではない。しかし相手は止まることなくこちらへ向かって来る。

アノールドもとうとう覚悟《かくご》を決めたのか、歯をギリッと鳴らし、ゆっくりと剣《けん》に手をかけようとしている。

こんなところで暴れるのかと思ったが、ふと視界に入った二人の人物が気になった。

見たところ親子のような二人だったが、その二人もアノールドたちと同様に挙動不審な態度をとっていた。その二人はどちらも帽子を被っていたので、

（まさか……）

そう思ったその時、

スタタタタタタ！

誰かが勢いよく走る音がした。その誰かは、器用に白ローブの者たちの間をすり抜《ぬ》けて走っている。

「おい、逃《に》げたぞ！」

それは先程見ていた帽子を被った小学生くらいの子供であり、広場から抜け出そうとしているようだった。

「アイツだ！　捕《つか》まえろっ！」

子供も必死で逃げはするが、いかんせん相手の数が多い。あっという間に回り込《こ》まれてしまい、逃げ道を完全に塞《ふさ》がれてしまった。

「もう逃げられんぞ！」

「は、はなしてぇっ！」

子供は腕《うで》を摑《つか》まれて暴れようとするが、その反動で帽子が頭から落ちる。そして露《あら》わになる『人間族』ではない証拠《しょうこ》。その頭の上には『獣人族』の象徴《しょうちょう》である獣耳があった。

「コイツ、『獣人族』だぞ！」

「おい、逃がすなよ！」

白ローブの者たちがそれぞれに言葉を飛ばしている。

「もう！　はなしてよぉ！」

「大人しくしろっ！」

「このガキ、暴れるなっ！　ええい、このっ！」

「おい、手間取るようなら失神させろ」

そんな言葉が聞こえた時、サッと連中の前に現れる者がいた。

「お願いします！　その子をお許し下さい！」

突然《とつぜん》膝《ひざ》を突《つ》き頭を垂れて嘆願《たんがん》しているのは、同じように帽子を被った大人の女性だった。

「何者だお前は！」

白ローブの者が鋭《するど》い視線をぶつけながら尋《たず》ねると、

「お、おかあさん！　にげてってゆったのに！」

子供がそう叫ぶ。恐らく、声や表情からして少女だ。その少女は、自らが相手の目を引きつけている間に、母親だけでもその場から逃がそうとしたのだろう。

だが失敗した。自分の子供を犠《ぎ》牲《せい》にしてまで助かりたいと思うような母親ではなかったということだ。その人も、日色が見ていた人物なのだが、やはり親子だったようだ。

「母親？　おい、そいつの帽子を取れ！」

母親は帽子を脱《ぬ》がされてしまい、そこには少女と同じような立派な獣耳が生えていた。

「報告にあったのは二人。コイツらだな。よし、連れて行け！」

親子は強制的に馬車に担《かつ》ぎ込まれていく。やじ馬軍団が全員呆然《ぼうぜん》としている中、二人の『獣人族』が捕らえられた。

親子の顔には絶望が浮《う》かび、まるで処刑《しょけい》台に向かう死刑囚《しけいしゅう》のような後ろ姿だった。その二人を哀《あわ》れに思ったのか、街人の一人が叫ぶ。

「おい！　その親子が何かしたってのか？　その子はまだ子供だぞ？」

すると白ローブの一人が、足を止めたかと思うと、カツカツとその街人の正面まで歩いてくる。

「うぐっ⁉」

街人の襟元《えりもと》を片手で摑み上げると、不愉快そうに眉《まゆ》を寄せながら脅《おど》し文句《もんく》を言う。

「それ以上は言わない方がいい。殺しはしないが、痛い目を見ることになるぞ？」

「う……あ……わ、分かった……」

首を絞《し》められている格好になっているので、苦痛に顔をしかめながら言葉を絞《しぼ》り出す。

そして白ローブの者は、街人を放《ほう》り投げるように地面へと下ろすと、その冷たい視線で一瞥《いちべつ》してから馬車へと戻《もど》っていく。

皆《みな》が皆、あまりにも横暴な彼らの行動に異議を唱えたい気持ちだったが、先程《さきほど》の街人のようなことになるのがオチなので誰《だれ》も何も言えない。

だが結果的に言えば、どうやらアノールドたちのことに気づいたわけではなかったのか、彼らはホッとしていた。しかしその時、思わぬ事態が起きた。

「あ～、このおねえちゃんシッポはえてる～ヘンなのぉ～！」

声があまりにも近い所から聞こえたので日色も気になってそちらを見る。するとそこにはミュアを指差している子供がいた。

日色はミュアに視線を移す。いや、正確にはミュアのお尻《しり》からピンと張った尻尾をだ。

どうやらあまりの緊張感《きんちょうかん》から尻尾に余計な力が入り、服から出てきてしまったみたいだった。それを運の悪いことに、近くにいた子供に見られ指摘《してき》されてしまったのだ。

アノールドは瞬間《しゅんかん》的に青ざめて、バッと広場の中心を見る。するとそこには、そこから去ろうと思い馬車に乗ろうとしていた白ローブの者たちがこちらを見つめていた。

「おいそこ！　動くな！」

アノールドは咄嗟《とっさ》にミュアを抱《かか》えてその場を離れようとするが、周りがやじ馬だらけで道が塞がれてしまっている。

そしてやじ馬を囲うように待機していた白ローブの者たちが、まるで挟《はさ》み撃《う》ちするかのように向かって来る。

ミュアも慌《あわ》てて尻尾を服の中に戻すが、時すでに遅《おそ》し、相手は歩みを緩《ゆる》めない。

「ご、ごめんなさいおじさん……ごめんなさい！」

「お前のせいじゃねえ！　とにかく今はここから逃げなきゃなんねえ！」

だが周囲から敵が近づいてくる。仕方無くアノールドは背中の大剣を抜く。

「ミュア、俺の傍《そば》から離れんなよ！」

「う、うん！」

「お前たち、その身柄《みがら》を調べさせて……いや、剣を抜いているということは、そういうことなのだろうな」

相手はほくそ笑《え》んで、同じように腰《こし》に下げていた剣を抜き出す。周りの者たちも同様にだ。

日色はどうしたものかと思案していた。二人とは妙《みょう》な縁《えん》のもと一緒《いっしょ》に旅することになったが、それほど深い情があるわけでもない。

だがしかし、せっかくの情報源をここで失うのももったいないと思うのもまた事実。

(だがこの数……)

視線だけ動かして白ローブの者たちを数えてみる。確かにここまで日色はモンスターと戦ってきて慣れてきてはいる。だがまだレベルはそれほど高くは無い。

《文字魔法《ワード・マジック》》にしても、書く時間というリスクがある以上、今は多勢《たぜい》に無勢《ぶぜい》で加勢するのも難しいような気がした。

それに明らかに一人だけ雰囲気《ふんいき》が違《ちが》う人物がいた。先程まで指揮を執《と》っていた人物だ。

その人物が近づいてきている。

歳は三十代くらいの男性。顎髭《あごひげ》を生やし少し強面《こわもて》である。目つきが恐《おそ》ろしく鋭いが、ダンディズムを感じるイケメンだ。映画で敵役とかに中ボスな感じで出て来そうな顔だ。

また右眼《みぎめ》には黒い眼帯をしていることと、武士のようなチョンマゲをしているのが特《とく》

徴《ちょう》なので、眼帯野郎《やろう》か、チョンマゲのどちらで呼ぼうか日色は迷ったが、結局チョンマゲの方がしっくりくるのでそう呼ぶことにした。

佇《たたず》まいから只者《ただもの》ではないような気がするが、これはもう本能で感じたことだ。

タイマンなら魔法を駆使《くし》して何とかなるかもしれないが、こんなに敵に囲まれている状《じょう》況《きょう》では、敵対するのは自殺行為《こうい》に思えた。

だから日色は舌打ちをしながらも動けずにいた。そしてその思いはアノールドも同様だったのか、その男に視線を釘付《くぎづ》けにして警戒《けいかい》している。

「くっ……」

「ほう、ここで殺し合うのもいいが、我々が用があるのはそこの獣人《じゅうじん》だけだ。見たところ貴様は獣人ではないようだが？」

アノールドの場合は、獣耳が無いので獣人だとバレていないようだ。

「獣人を庇《かば》いだてしても良いことなどないぞ？」

「へっ！　何小せえこと言ってんだ！」

「……何？」

「人間だとか、獣人だとか、そんなもん生きていくのに関係あんのか！」

「…………あるな」

「少なくとも、この人間の大陸では『獣人族』は『魔人族《まじん》』と同様忌《い》むべき種族だ」

「なっ⁉」

「……」

「存在するだけで汚《けが》らわしい」

「こ……この……」

「獣臭《けものくさ》い輩《やから》が、この場に存在するだけで吐《は》き気がする」

「言わせておけばぁぁぁぁっ！」

アノールドは完全にキレて、真《ま》っ直《す》ぐに剣《けん》を男に向かって振《ふ》り下ろす。

カキィィィイン！

しかし男も剣を抜いてアノールドの剣を余裕《よゆう》で受け止める。

「ぐ……ぐぐ！」

「ぬぅ！　大した力だ！」

アノールドが予想以上に強い力で攻撃《こうげき》してきたので驚《おどろ》いているようだ。

「きゃあぁぁぁっ！」

そんな中、ミュアの叫《さけ》び声が響《ひび》く。アノールドはハッとなり即座《そくざ》に振り向く。そこには敵に捕《と》らわれたミュアの姿があった。

そして帽子《ぼうし》を剝《は》ぎ取られて、頭の上に立派な獣耳《けものみみ》が露《あら》わになる。やじ馬たちもざわつき始める。そしてミュアを見たチョンマゲ男は「やはり獣人だったな」と呟《つぶや》く。

「ミュアァァァッ！」

ドスッ！

「う……っ⁉」

アノールドは背後から首に衝撃《しょうげき》を受けて全身から力が抜《ぬ》けたように剣を落とし、そしてそのままバタッと前のめりに倒《たお》れてしまった。

男は剣を納めると、アノールドを見下ろしながら言う。

「命は大切にした方が良い。貴様は人間なのだからな」

「ぐ……」

「連れて行け」

「い、嫌《いや》ぁっ！　おじさんっ！　おじさぁぁぁぁんっ！」

泣き叫びながら連行されていくミュア。日色もまた下手に動けずそれをただ見守ることしかできていなかった。

アノールドが薄《うす》れゆく意識の中、最後に見たものは、無理矢理馬車に押し込められる愛《いと》しい娘《むすめ》の姿だった。

「ミュア……くそ……く……そぅ……」

「…………う……うぅ……」

日色はアノールドがようやく意識を回復したので、溜《た》め息《いき》交じりに言葉を出した。

「目が覚めたか？」

「……ここは……？」

アノールドはまだ完全に目を醒《さ》ましていないのか、呆然としながら天井《てんじょう》を見つめている。

あれから白ローブの者たちは広場から離《はな》れて行き、気を失ったアノールドをそのままにしておくのも忍《しの》びなかったので、日色が宿屋へと運んだのだ。

「宿屋だ。しかし二時間は寝《ね》過ぎだろ」

「二時間……二時間……に、二時間っ⁉」

突然《とつぜん》上半身を物凄《ものすご》い勢いで起こし、ベッドから降りようとするが、

「ぐぅっ！」

突然電気が走ったような鋭《するど》い痛みを後ろ首に感じたのか、手を咄嗟に後ろ首に当てるが、そのせいで体が硬直《こうちょく》し、立ち上がったはいいが、ベッドに座り込むように腰が落ちる。

「ずいぶんキツイのもらったみたいだな。痣《あざ》にもなってたぞ」

彼の後ろ首には青い痣ができていた。恐らく剣の柄《つか》で殴《なぐ》られたためだろう。

「ぐ……あのヤロウ……」

歯をギリギリと嚙《か》みながら悔《くや》しそうに言葉を絞り出す。首を擦《さす》りながらも、必死で立ち上がり、周りを見回し自分の剣を見つけるとそれを手に取る。

「どこ行くつもりだ？」

「決まってんだろ！　ミュアを助けに行く！」

まだ完治していないので足元がおぼつかない。そんな彼に対し溜め息を吐《つ》いて言う。

「それはいいが、居場所は分かってるのか？」

ピタッと日色の言葉で足を止める。背中しか分からないが、彼が焦《あせ》っているのが伝わってくる。それだけミュアが大切なのだろう。

しかしあまりにも情報が少ないので、敵がどこにいるかアノールドには分からないのだ。

「二時間か……まだそう遠くへは行ってねえはずだ。虱潰《しらみつぶ》しに探してやるぜ」

「効率の悪いやり方だな」

「だったらてめえに良い案でもあるってのかよ！」

突然こちらに向かって来ると襟元《えりもと》を摑《つか》んでくる。その表情は強張《こわば》っており、今自分が何をしているのか正確に判断できていない感じだ。

「……とりあえず」

ドスッ！

「がっ……!?」

「その手を離せ」

アノールドは腹を押さえながらその場で膝《ひざ》をつく。見て分かる通りに日色が彼の腹に一《いち》撃《げき》を放ったのだ。

「ぐ……お、お前な……」

だが呼び方が「てめえ」から「お前」に変わっている。痛みで少しは正気に戻《もど》ったようだ。日色は襟を整えるとベッドに腰《こし》掛《か》ける。

「オレに当たっても仕方が無いだろうが」

「そ、そんなの分かってるわい！　けどなぁ、こうしてる間にもミュアが……あの連中に……くっ！」

またもソワソワしだした。どうやらアノールドと相手との間には何かしらの繋《つな》がりがあって、それがかなり深いものなのだと認識できる。

長い間、人間の大陸にいるとしたら、ああいう連中と一悶着《ひともんちゃく》あってもおかしくはない。

「一体あの連中は何だ？」

「……何だヒイロ、もしかして手を貸してくれるってのか？」

「そんな義理は無いな」

アノールドは、日色のその答えに予想はしていたみたいだが舌打ちを返してくる。

「ならお前に教える意味はねえだろうが！」

「ただ単に気になっただけだ。さっさと教えろ」

「断る！」

「……オッサン、忘れたのか？」

「……何がだ？」

「オッサンは無様に気絶していた」

「ぐぬ！」

「あのままカエルの死骸《しがい》みたいに放置していても良かったのか？」

「ぬぬっ！」

「ここに運んでやったのは誰《だれ》だと思ってる？」

「くぬっ…………………はぁ、分かったよ。けどのんびり話してる時間なんてねえんだ。俺は一刻も早く奴《やつ》らを追いてえんだ！」

アノールドの言い分も当然なものだった。彼にとっては何よりも大切な存在なのだ。ミュアという娘は。

それは会った時もそうだったが、広場でのやり取りからでも十分理解できる。

だから彼を安心させるためにも、そして話を進めるためにも自分の持っている情報を彼に教えることにした。

「………………安心しろ。奴らはまだこの街にいる」

「ホントかっ⁉」

またもその暑苦しい顔を近づけてくるので、睨《にら》みを利《き》かせて距離《きょり》を取らせた。

「な、なあホントかヒイロ！　まだミュアはここに居るんだな？」

期待感を含《ふく》んだ瞳《ひとみ》を輝《かがや》かせているだけならまだマシだったが、彼は目を充血《じゅうけつ》させ鼻息を荒《あら》くしているので、この状況《じょうきょう》でも思わず「変態か」と突《つ》っ込《こ》みを入れてしまいそうになる。

「ああ、何でもここで誰かと待ち合わせしてるっていう噂《うわさ》だ。その相手がまだ来てないのか、奴らは街の東で駐屯《ちゅうとん》してるな」

「なら今すぐにでも！」

「ちょっと待て」

「何だよ！」

「情報も与《あた》えた、アンタもここに運んだ。ならきっちり対価は払《はら》えよオッサン」

「ぐ…………だがミュアが……」

「別にそんな長い話でもないだろ？　オッサンが渋《しぶ》ってる時間が勿体無《もったいな》いと思うが？」

「う～ああもう！　分かったっつうの！　いいか、良く聞けよ！」

彼は半ば自棄《やけ》になりながらも、白ローブの連中について語った。

彼らの名前は《獣《けもの》の檻《おり》》。この人間の大陸で、獣人の存在を排除《はいじょ》、または管理することを旨《むね》とした組織である。

所属しているのは、無論全員が『獣人族』を毛嫌《けぎら》い、または憎《にく》んでいる者たちである獣人排斥派《じんはいせきは》で固められている。

彼らはこの大陸中を徘徊《はいかい》し、獣人の存在を感じれば、組織の理念に基づいて行動する。

今回もあの親子の情報をどこかから入手し、ここへ親子を捕らえようとやって来たのだ。

アノールドも昔は彼らに捕らえられた過去がある。そしてその繋がりで奴隷《どれい》化させられたのだ。日色の思った通り、やはり一悶着があったらしい。

彼らの危険性を誰よりも理解しているアノールドだからこそ、ミュアを連中の手から一刻も早く助け出したいのだろう。

彼らは戦闘《せんとう》に長《た》けた者たちが多く、その怖《こわ》さと強さはアノールドも経験済みだった。

それもそのはずで、元々身体能力が『人間族』より優《すぐ》れている獣人を捕らえるには、それ相応のレベルが要求される。

自然と強者の集まりになってくるのだ。その中でもアノールドを倒した人物のような者たちは、元腕《うで》利《き》きの冒険《ぼうけん》者などが多いのだ。

「なるほどな、大陸中を回ってるわけか……ふぅん」

「…………なあおい、お前って他人に興味無かったよな？　なのに何で今回はそんなに知りたがるんだよ？」

アノールドの疑問も当然だ。日色は会った時から他人には興味が無いと言い張っていた。それに種族に関しても、アノールドたち獣人を見ても何とも思っていなかったし、この世界の常識が当てはまる人物ではないと彼は日色をそう評価していただろう。

なのに何故《なぜ》これほど他人であり、会ったばかりの《獣《けもの》の檻《おり》》のことを聞いてくるのか不思議に思うのも当然だ。彼の問いに日色はこう答える。

「ん？　別に奴ら自身には興味無いぞ」

「はあ？　でもお前今聞いてたじゃん！」

「オレが興味あるのは奴らが持ってた古書だ」

「……こしょう？」

「古書だ古書、誰が調味料の話をしてる。ふざけてるのか？」

「わ、悪い悪い。けどそのコショって本のことだろ？　何で今そんな話が出てくんだ？」

「奴らの馬車に乗せてあった。何冊かは内容を把握《はあく》できる本だったな。特に『グルメ紀行』とやらは是非《ぜひ》読みたい」

「は、はぁ……」

「だが、一冊だけタイトルを全部視《み》ることができなかった。確か『世界一は誰だ！　胸……』まで確認《かくにん》できたが、オッサンの話を聞けば内容が推測できると思ってな」

全《すべ》ては自分の欲求《よっきゅう》を満たすためだった。日色はやはり日色だということで、少しばかり安心したというか呆《あき》れた様子を見せるアノールドだった。

「胸……ねぇ……そんで？　推測できたのか？」

「まあ、この大陸中を回って手に入れたものだろうとは思うが、何とも言えんな。やはり実際に読まなければ……」

真剣《しんけん》な表情でブツブツ言い出した日色を見て、アノールドは置いてけぼりをくわされたようで居心地《いごこち》が悪くなったのか、話を聞くために口を動かしてくる。

「お、おいヒイロ、とにかく話はそれで全部だ。もう行っていいか！」

一刻も早くミュアを助けたいようだ。だが日色はう～んと唸《うな》りながら彼を見つめる。

「な、何だよ？」

日色は暫《しば》し考える。このまま二人と別れて旅をするのも一つの選択《せんたく》である。だがその場合、せっかくこれから向かう獣人の大陸の情報源が失われる。

それにもう一つ、アノールドの特技である彼の料理がもう食べられなくなるのも痛いだろう。彼の食べ物の知識は豊富であり、美味《うま》いものをよく知っている。

これからも彼と一緒《いっしょ》に旅をすればそういう食の満足も得ることができるかもしれない。

一人旅は一人旅で自由気ままでいいが、なかなかに天秤が片方に傾かない。

それに、先程の話に出ていた古書も気になるのだ。あれほど分厚い本なら、きっとこの大陸のあらゆる情報などが載《の》っている本なのだろう。

そうでなくとも、古書ならこの世界の伝記などが面白《おもしろ》おかしく書いてあり楽しいかもしれない。是非読んでみたい衝動《しょうどう》にかられる。

確かにアノールドを手伝えば、めんどくさいことこの上ないし、あの別格そうなアノールドを倒《たお》した男とも戦わなければならない可能性が高い。

（だが騒《さわ》ぎに乗じて本を奪《うば》うことも……）

どうせ獣人狩《が》りのようなことをしている連中だ。そんな奴らから何かを奪ったところで痛む良心などは持ち合わせていないだろう。

そう考えて日色はふむと頷《うなず》きベッドから腰《こし》を上げた。

「お、おいヒイロ……？」

アノールドは先程《さきほど》から何も言わない日色が急に立ち上がったので、キョトンとしながら日色の名を呼ぶ。すると日色は真面目《まじめ》な顔をして返事を返す。

「よし、本を奪いに行くぞオッサン」

「いや本命はミュアだからなっ！」

アノールドの鋭《するど》い突っ込みが宿屋に響《ひび》いた。

※

その頃《ころ》、ミュアは馬車の中で、鎖《くさり》で繋がれた鉄球を足に着けられた状態で身動きとれず涙《なみだ》を流していた。

（ヒック……グス………おじさん）

自分が本当に情けなかった。何故自分はこうも迷惑《めいわく》をかけてしまうのだと悔《くや》し涙を流す。

今までもアノールドには命、そして心さえも救ってもらってきた。

今度は自分が恩人に恩を返す番だと思っているのに、何もできないどころか、こうして自分のせいでアノールドを傷つけている。

（わたし……いなくなった方がいいのかな……その方が……おじさんのため……なのかな……）

目の奥から徐々《じょじょ》に光が失われていく。自分がこのまま殺されでもしたら、アノールドは自分という鎖から解放される。

そうすればもっと自由にアノールドは好きなことをして生きていける。そう考えると自分の存在などこの世に必要無いのかもしれないと思えてきた。

（おじさん……ごめんね……ごめん……ね）

顔を俯《うつむ》かせて絶望が全身を包んでいく感覚に身を委《ゆだ》ねる。

だがそうして虚《うつ》ろになりかけているところを、

「おかあさん、ウルたちしんじゃうの？」

そんな自分以外の言葉で現実に引き戻《もど》されていく。ゆっくりミュアが顔を上げると、そこには母親に抱《だ》きついている自分よりも小さな女の子が泣いていた。

母親はその子の頭を撫《な》でながら優《やさ》しげに笑《え》みを浮《う》かべているが、彼女の体も微《かす》かに震《ふる》えているのが見て取れた。

「ジュウジンがそんなにいけないの？　ねえ、だってみためがちょっとちがうだけなんだよ？」

母親は困ったように微笑《ほほえ》みながら、それでも撫でる手は休めない。

「ごめんねウル、お母さんがこの街に立ち寄ろうなんて言ったから……」

「ちがうよ、だっておとうさんが……」

「ウル……」

彼女たちの服装を見たら軽装だが旅人のような恰好《かっこう》をしていることに初めて気がついた。

恐《おそ》らく旅の途中《とちゅう》でこの街に立ち寄っただけなのに、運悪くその姿を《獣《けもの》の檻《おり》》に発見されたのだろう。

「あなたも本当にごめんなさない。私たちの巻き添《ぞ》えで」

「え……あ、いえ」

ミュアは急に話しかけられたことにドギマギしながらも返事を返した。

「ごめんなさい」

ウルという少女も同じように申し訳ないという表情を作っている。

そしてそんな不安で一杯《いっぱい》の、涙で目が腫《は》れている女の子を見て、理由は分からないが、
ミュアの胸には自分がこのまま泣いていては駄目《だめ》だという感覚が過《よぎ》った。

また先程自分が考えていたことを思い出し自分を内心で叱咤《しった》する。

何が死んだ方がいいだ。そんなことをすればアノールドは必ず悲しむ。そんなことは自分が一番よく知っていたはずだ。こんな所で死にたくなんてない。こんな所で死ねば、

（お父さんとお母さんに怒《おこ》られちゃう！）

両親は自分の分まで精一杯《せいいっぱい》生きてくれと言っていた。そして幸せになれと。

優しい両親を裏切るようなことを絶対してはいけないのだ。そしてここがまだ街の中なら、必ず迎《むか》えに来てくれる人が自分にはいる。

迷惑かけたことは、ちゃんと目を合わせて謝りたい。そう思うと、自然と力が湧《わ》いてきた。そしてウルに向かって微かにだが笑みを浮かべながら言う。

「怖いよね……うん、わたしも怖い。だけど、きっと大丈夫《だいじょうぶ》」

「……え？」

「この街にはね、ヒーローさんがいるんだよ」

「ヒーローさん……？」

ミュアはわたしにとっては、とは言わなかった。いつも助けに来てくれるアノールドは、まさに自分のヒーローのような存在だ。

だから彼を信じる。それが今の彼女に唯一《ゆいいつ》できることなのだ。

「うん、だから信じて待ってよ？　信じる者は救われる。きっとヒーローさんが助けに来

てくれるから」

そうして微笑むと、ウルはキョトンとした表情になりながら母親の顔を見る。母親も小さく頷きを返す。それを見てぱあっと明るく笑顔になる。

「うん！　ウルしんじる！　ヒーローさんはきてくれるんだよね！」

「うん！」

「うるせえぞ獣人《じゅうじん》どもが！」

馬車の中に顔を入れて男が怒鳴《どな》ってくる。「ひっ！」とウルはまた怯《おび》えて小さくなるが、ミュアは小声でこう言う。

「大丈夫だよ。もうすぐだから……大丈夫」

まるで自分の妹に接するように優しく頭を撫でる。すると少し安心したのかウルは頬《ほお》をほんの少し緩《ゆる》めた。

ミュアもまた、恐怖《きょうふ》に竦《すく》んで体を震わせていたが、ウルを元気づけるためにも、そして何よりも自分のためにも言い聞かせるように心の中でこう思う。

（きっと来てくれる……おじさん。それに…………あの人はどうか分からないけど……）

日色のことをまだよく知らないが、彼が何の得にもならないようなことをするとは思えない。だけどもし彼が来てくれれば助かる可能性がグンと上がるような気がした。

（何でだろう……あの人が来てくれたらって思ってる……ヒイロさん……）

何か、彼に興味を持たせるようなものがあれば良かったのにと思うが、自分はもう祈《いの》ることしかできない。そう、後はもう信じて待つだけだった。

※

「フォルス様、アブロ氏がお見えになりました」

フォルスと呼ばれた男は、《獣《けもの》の檻《おり》》を指揮していた、アノールドを倒した人物だった。

「分かった」

部下らしき人物が連れて来た者に視線を向けると、軽く会釈《えしやく》をする。

「お久しぶりですアブロ殿《どの》」

アブロの外見は完全なるメタボ体型の中年オヤジだった。七三にきっちり分けられた髪《かみ》と、その脂《あぶら》ぎった肌《はだ》が特徴《とくちよう》の、見るからに暑苦しそうな男だった。

「いやいや、いつも贔屓《ひいき》にしてもらってるからね。そう畏《かしこ》まらんでくれ。はぁ、それにしても暑いねここは」

熱いのはお前だけだと周りの者が心の中で突《つ》っ込《こ》んでいたが、そんなことは露知《つゆし》らずハンカチで大量に流れ出ている汗《あせ》を拭《ふ》いている。

「ところで、さっそく確認《かくにん》してもいいかな？」

「ええどうぞ」

フォルスは一台の馬車にアブロを案内する。

「お、おお！　おほ～っ！」

馬車の中身を見たアブロは興奮しきった様子で鼻息を荒《あら》くしながら、今目の前にいる『獣人族』を見る。もちろんそれはミュアたち三人だ。

三人はアブロの表情を見て尋常《じんじょう》ではないほどの嫌悪感《けんおかん》を抱《いだ》く。

それもそのはずだ、アブロはいやらしい目つきで、三人を値踏《ねぶ》みするかのように見回しているのだから。しかも舌なめずりのオマケ付きである。

「これはこれはウシシ、なかなかの上玉だなぁ～！　いやまったく、フォルス殿の仕事はいつも満足だよ！」

「お喜び頂いて恐縮《きょうしゅく》です」

更《さら》にアブロは、ミュアの銀色の髪を見て感嘆《かんたん》の声を上げていた。

「おやおや～、しかもあの子は何だ？　銀の髪？　珍《めずら》しいなぁ～、『銀狼《ぎんろう》』……なのかな？

いやはや、もしそうならこれはレアな買い物になりそうだ！　それによく見れば、そっちの二人も私の好きな『猫人《ねこびと》』ではないかね！　ウシシシシ！」

アブロの脂《あぶら》ぎった視線が突き刺《さ》さり、ウルは小さな声で「気持ち悪い」と言うが、母親は彼女の口元に手を当てて、それ以上言葉を発せないようにする。

「それでは買い取りで……よろしいですね？」

「無論無論！」

上機嫌《じょうきげん》に笑いを飛ばすアブロを見て、周りにいる《獣《けもの》の檻《おり》》の者たちの中にも、さすがに同情するようにミュアたちを見る者が少しはいた。

アブロに買われた後、どうなるか想像するだけで多少なりとも哀《あわ》れに感じたのだろう。

「ただいつもこちらが言うように、杜撰《ずさん》な管理だけはご容赦《ようしゃ》を」

「ウシシシ！　この私の管理が杜撰だったことなど今まで一度も無いことは君が一番良く知っているのではないかな？　ウシシシシ！」

「そうでしたね。では契約書《けいやくしょ》にサインを」

「よっしゃよっしゃ！」

フォルスは部下から契約書らしき紙を渡《わた》されると、それをアブロに見せる。

「それでは紙に魔力《まりょく》を流して頂いて、契約完了《けいやくかんりょう》です」

「いつもいつも感謝するよ！　ウシシ！」

「いえ、汚《けが》れた獣人の使い道など、こんなものでしょうから」

「ウシシシシ！　君も悪よのう！」

そうして契約書にアブロの手が触《ふ》れる瞬間《しゅんかん》――

ピタッ………ボウッ⁉

何かが契約書に当たり、パチパチッと火花のような現象が起きたと思ったら突然《とつぜん》契約書が火に包まれた。

思わずフォルスは手を離《はな》すが、燃えた紙はそのままアブロの髪の毛に落ちる。そしてボウッと燃え移る。

「ウシィィィィ！　な、な、なあっ⁉　熱いィィィィィッ！」

頭に短い手を一杯に伸《の》ばしてパタパタと火を消そうとする。

無論彼だけでなく、その周りにいた者全員が唖然《あぜん》として動きを止めている。一体何が起こったのか理解できていないのだ。

するとそこにスタッと誰《だれ》かが建物の屋根から下りてくる。

「……貴様は」

フォルスは射殺すような視線でその相手を睨《にら》む。

「ミュアは返してもらうぞっ！」

大剣《たいけん》の切っ先を彼に突きつけながら言うのは、青髪を逆立てた怒《いか》りの表情を宿すアノールドだった。

※

「おじさんっ！」

ミュアもアノールドの声で存在に気づき、馬車の中から声を上げて喜ぶ。

「おおミュア！　無事だったかぁ！　はぁ、良かったぁ〜！」

元気な声が聞こえてきて、心底安堵《あんど》する。だが頬を緩めたのも束《つか》の間《ま》、すぐに顔を引き締《し》める。何せ彼は今、敵に囲まれた中に一人でいるのだから。

そんな状況《じようきよう》の中、ノコノコやって来たアノールドに対して、馬鹿《ばか》にするように笑いながらフォルスが喋《しやべ》る。

「ククク、何をしに来た……などとは言わん。どうせそこの獣人を取り返しに来たのだろう？」

「そうだ！」

「……命は大切にしろと言っておいたはずだが？」

「ああ、だからここでお前ら全員ぶっ飛ばして、無事にこの街から出て行ってやらぁ！」

「……貴様は馬鹿なのか？」

「それはこんなしょうもねえことやってるてめえらだろうが！」

フォルスは呆《あき》れたように溜《た》め息《いき》を吐《つ》くと、

「貴様も人間ならもう少し利口に立ち振《ふ》る舞《ま》ったらどうだ？」

「俺はっ！」

「……？」

突然《とつぜん》アノールドがフォルスに向かって尻《しり》を突き出す。すると……ニョキ。

「俺は獣人だバーロォ！」

「っ⁉」

フォルスだけではなく、その場にいた他《ほか》の者も驚《おどろ》きを隠《かく》せなかった。まさかアノールドまで獣人だとは思っていなかったのだ。何故《なぜ》なら彼には、

「何故……獣耳が無いのに……？」

フォルスの呟《つぶや》きにアノールドはニヤッとして答える。

「フフン、お前ら人間に引き千切られただけだ！　ちなみにこの人間耳は作り物だぁ！」

どうだまいったか！　みたいな感じで胸を張るが、決して自慢《じまん》するようなことではない。

しかしそんなバッドな告白を明るく言う彼に誰もが目を奪《うば》われている。

（よし計画通りだ。頼《たの》んだぜヒイロ！）

※

「上手《うま》くいったな」

日色は建物の陰《かげ》で、契約書が燃えたことに満足気に頷《うなず》いていた。そう、契約書が燃えたのは、『火』の文字を放ったからだった。別に当たらなくても問題は無かった。

フォルスとアブロの近くで突然火が上がれば誰もが驚くし、慌《あわ》てて契約書を落として、火に巻き込まれる可能性も高かったので、二人の近くに文字を放ったのだ。

狙《ねら》ったとはいえ、契約書に当たったのは運が良かったというわけだ。

そのまましばらく様子見をしていると、計画通りアノールドが奴《やつ》らの前に姿を現す。必要以上に彼らの目を自分に引きつけるように指示した通り、彼はよくやってくれた。

突然獣人《とつぜんじゅうじん》であることを暴露《ばくろ》したのには驚いたが、その効果は絶大で、誰もがアノールドに釘付《くぎづ》けだ。

「よし、行くか」

『隠』という文字を手の甲《こう》に書いて発動させる。この文字は限りなく気配を薄《うす》くさせ、存在を気づかれないようにできる。だが効果は一分なので急ぐ必要がある。

そこから素早《すばや》く移動して、まずは三つある馬車のうち、本がある馬車に向かう。ササッと《獣《けもの》の檻《おり》》の連中の背後を移動していく。

さすがは《文字魔法《ワード・マジック》》の効果、全く気づかれていない。これにはアノールドの引きつけ効果も存分に含《ふく》まれているに違《ちが》いないが。

そして素早く馬車に乗り込むと、懐《ふところ》から風呂敷《ふろしき》のような布を取り出す。

（よ～し、これだこれだ）

一冊で一キロ以上は確実にあるであろう本を風呂敷の中に包んでいく。そしてあの時、確認できなかった本のタイトルを確認する。

『世界一は誰だ！　胸の大きなオ・ン・ニャ・ノ・コ！』

頬《ほお》を引き攣《つ》らせ、思わずポイッと荷台の奥へと投げた。見なかったことにしようと思い、合計五冊を風呂敷に包んだところで、『隠』の効果時間である一分が過ぎた。

実は《文字魔法《ワード・マジック》》の制限で、同じ文字を連続して書くことができない。だから再び『隠』を使用するには、何か別の文字を使う必要がある。

風呂敷に『送』という文字を書いていく。そして発動する。

すると突然《とつぜん》風呂敷がその場から消えた。だが日色は全く慌てていない。この効果も事前にしっかり試しているからだ。

目の前にある家の花壇《かだん》の隅《すみ》に風呂敷を送った。そこならバレないだろうと判断したのだ。

そして再び『隠』の文字を体に書いて発動。今度はアノールドの依頼《いらい》を達成しにいく。

宿屋での会話の後、一応アノールドからは、今度絶品ともいうべき食材を食べさせてやると言われたので、それを依頼料として、ミュアを助けることにしたのだ。

日色らしい行動理念だが、速《すみ》やかにミュアが乗る馬車へと向かった。

※

今公衆の面前でというか、敵に囲まれた中心で尻尾《しっぽ》をフリフリと動かしているアノールドなわけだが……

(ヒイロの奴、上手くやってんだろうな……)

音沙汰《おとさた》などないから不安でしょうがない。

だが先程《さきほど》からミュアの声が確認できていないところを見ると、どうやら上手くやっているらしい。後はもう少し注意を引きつけておけばいい。

「貴様が獣人《じゅうじん》だったとはな、なら簡単な話だ。アブロ殿《どの》、男の獣人ですが必要ですか？」

「いっらぁぁぁあん！　いらんわあんなむっさい男！　しかも私にこんな仕打ちまで……ええい！　フォルス殿、目に物を見せてあげなさい！」

「ということだ、どうやら貴様はここで死ぬことが決まった。確かに今の時代、男の獣人の買い手はあまりいなくてな。悪く思うな、恨《うら》むなら獣人に生まれた運命を恨め」

冷笑《れいしょう》を浮《う》かべながら剣を抜《ぬ》いてくる。

「けっ！　俺もやられっぱなしじゃねえってことを見せてやらぁ！」

アノールドも同じように剣を構えて、フォルスを睨む。しかしそこでフォルスはフッと馬鹿にしたように鼻で笑うと、

「……魔法も使えぬ種族が」

サッと右手を上げる。すると周りにいた者たちが、アノールドに対して掌《てのひら》を向けている。

「私が手を下すまでもない」

彼が手をサッと下ろすと、周りの者たちの手から魔法が放たれる。

「何ぃっ⁉」

ファイアボールやウインドカッターなどの初級の魔法だが、それが途切《とぎ》れることなく飛んでくる。

「《風陣爆爪《ふうじんばくそう》》っ！」

咄嗟《とっさ》にアノールドは剣を下から上に突《つ》き上げ、凄《すさ》まじい上昇《じょうしょう》気流を生み出す。その気流を利用して、向かってくる魔法を上空へと逸《そ》らしていく。

「ほう、《化装術《けそうじゅつ》》か。それなりに使えるみたいだが、いつまで続くかな？」

フォルスは涼《すず》しげに笑みを浮かべて傍観《ぼうかん》に徹《てっ》している。

「ならてめえも巻き込んでやらぁっ！」

アノールドはフォルスを技《わざ》に巻き込ませようと間を詰《つ》めるが、彼は大きく後ろへ下がる。

それを見たアブロも慌てて彼の後ろにつく。

「さあ、巻き込んでみろ獣人」

アノールドは思わず立ち止まってしまう。

「巻き込めるものならな？」

何故なら彼が立つその場所の近くには、ミュアたちがいるであろう馬車があったからだ。

もし全力で攻撃《こうげき》し、フォルスを巻き込むような規模の威力《いりょく》を出せば、間違《まちが》いなく近くにいる馬車まで巻き込んでしまう。

「ひ、ひっきょうだぞてめえ！」

「ククク、戦略的と言ってほしいな」

「ウシシ！　さすがはフォルス殿！　たかが獣人程度に遅《おく》れをとるような男ではないな！」

アブロも鼻高々に笑う。その顔がアノールドの苛立《いらだ》ちを加速させる。

「く……くそが……っ！」

相手の魔法をアノールドが上空へと逸らすといった光景が何度か続く。

「さあ、その技はあとどれくらいで打ち止めかな？」

「はあはあはあはあ……」

《風陣爆爪《ふうじんばくそう》》は相当の体力を使う。そう何度も放ち続けられるものではない。対して、周りの者たちが使用しているのは初級の魔法でありＭＰ消費など微々《びび》たるものだ。時間を掛《か》ければどちらが不利か一目瞭然《いちもくりょうぜん》である。

「そろそろか」

「ウシシ、そのようだな」

全身に疲労感《ひろうかん》が襲《おそ》っていることは見て分かるだろう。フォルスの顔を見て、同じ技は後一度ほどしかできないだろうと判断されてしまったとアノールドは感じた。

「さて、次の攻撃を防いだら、それで最後だろう。納得したか？　所詮《しょせん》貴様はその程度だったということだ。なに心配するな、貴様の連れの子供はこちらのアブロ殿が存分に可愛《かわい》がってくれる」

「ウシシ、あんな可愛らしい獣人初めて見た。ああ、今から楽しみだぁ～。あの純真無垢《むく》な顔が悲痛に歪《ゆが》むのを早く見たいぃ！　ウシシシシシ！」

アノールドは息を乱しながら殺気を込《こ》めた視線を二人にぶつけるが、相手にとっては虫の息に見えているのか、気圧《けお》されるどころか嘲笑《ちょうしょう》が聞こえてくる。

「はあはあはあはあはあはあ…………!?　……へへへ」

その時、アノールドは確かに笑った。それを見たフォルスは無論怪訝《けげん》な表情で見つめる。

「……てめえ、俺がいつまでも大人しくしてると思ってんなよ？」

「何がおかしい？」

「……何を言っている？」

「こういうことだぁっ！」

ダダダダダダとフォルスに向かって走ってくる。しかも《風陣爆爪《ふうじんばくそう》》の構えをしている。

「ば、馬鹿《ばか》な！　馬車まで巻き込むつもりか!?」

「ウシイイイッ！」

「これがぁ！　全力の《風陣爆爪《ふうじんばくそう》》だぁぁぁぁぁぁぁぁあっ！」

ブオォォォォォォォオンッ！

物凄《ものすご》い風の奔流《ほんりゅう》がアノールドを中心にして巻き上がる。

そしてその場にいる《獣《けもの》の檻《おり》》の人物たちを大勢巻き込んで上空へと押し上げる。馬車も巻き込み、全《すべ》てが風の刃《は》の餌食《えじき》になっていく。

これはまさしくバーバラスベアに対してやった攻撃と同じ効果を周囲に生み出している。

そして上空から切り刻まれた男たちが雨のように降ってくる。馬車の破片《はへん》もそこかしこに飛び散っている。

「はあはあはあ…………ちっ！　やっぱ、てめえはただもんじゃねえってわけか……」

アノールドは疲労《ひろう》で倒《たお》れそうな体を必死で支え、悔《くや》しそうに目の前にいる人物を見る。

「……まさかなりふり構わないとは、恐《おそ》れ入ったぞ」

フォルスだった。彼はあの瞬間《しゅんかん》、瞬時《しゅんじ》に剣《けん》を地面に突き刺《さ》し、膝《ひざ》をついて飛ばされないように踏《ふ》ん張《ば》っていたのだ。

無論風の刃でそれなりに傷は負っていたが、戦闘《せんとう》不能となるにはまだまだ遠い姿だった。

(冷静に対処しやがった……やっぱ指揮官だけのことはあるってことかよ)

今度はアノールドが膝をつく番だった。もう体力の限界を迎《むか》えていた。文字通り全力を尽《つ》くして攻撃したのだが一歩及《およ》ばなかった。

そんなアノールドを見下ろしながらフォルスは喋《しゃべ》る。

「クク、だがさすがは獣人だ。仲間を平気で巻き込むとは、恐ろしい種族だな」

「……寝《ね》ぼけてんのかてめえは？」

「は？」

「俺は誰一人《だれひとり》獣人《じゅうじん》なんて巻き込んじゃいねえよ」

「……何？」

「吹《ふ》き飛んだ馬車をよく確認《かくにん》してみやがれクソヤロウ」

フォルスはバッと勢いよく、顔を吹き飛んだ馬車に向けると驚愕《きょうがく》に言葉を失う。何故《なぜ》ならそこには誰《だれ》もいないからだ。中にいたはずのミュアたちの姿がどこにもない。

「おじさぁぁぁん！」

その声にハッとなり、フォルスは信じられないといった様子で、ゆっくりと視線を声がした方向へ向ける。

「ば、馬鹿な……ど、どうやって……？」

そこにはミュアと親子、そして日色がいた。

※

第一の目的だった本を確保して、また『隠』の文字を使って今度はミュアが囚《とら》われている馬車に向かった日色。突如《とつじょ》現れた日色に驚《おどろ》くミュアと親子。

「ヒ、ヒイロさん⁉」

「……え？　ヒーローさん？」

「静かにしろ」

「あ、は、はい」

ミュアの足首に繋《つな》がれている鎖《くさり》に目をやる。鎖には錠《じょう》があり、それが彼女の足を拘束《こうそく》していた。

『隠』の効果が消えたのを確認して、その錠に『開』という文字を書いて錠を外した。

無論鍵《かぎ》も無く、あっさりと開錠《かいじょう》した日色の行動にミュアは驚きを隠《かく》せないようだったが、そのまま日色に嘆願《たんがん》してくる。

「あ、あのヒイロさん、この方たちの鎖も外してあげて下さい」

親子に視線を促《うなが》す。あの広場で捕《つか》まった親子だということはすぐに分かった。

ジッと親子を見つめている日色に不安を覚えたのか、ミュアは、彼女たちを助けるために言葉を出す。

「ヒイロさん……ヒイロさんが、見返りが無いのに他人を助けることをしないのは知ってます。で、でもお願いします！　どうか、どうか助けてあげて下さい！」

必死で頭を下げるミュアを見つめる。もののついでだったので、手間取るわけでも無し、別に助けても良いと思った。

しかし日色が行動を起こす前に、母親の方が口を開く。

「あ、あの、私からもお願いします。お礼は何でもしますので、この子だけでも安全な場所へ！」

「そ、そんな！　おかあさんがたすからないならウルもここにいるよ！」

そんな麗《うるわ》しい親子愛を見せられて、思わず日色は肩《かた》を竦《すく》めてしまった。だがお礼と聞いて、それなら得られるものは得ておこうという打算的な気持ちが働く。

「なら、助ける対価としてこの後、飯をご馳《ち》走《そう》してくれ」

日色の突然《とつぜん》の申し出に三人が三人とも唖《あ》然《ぜん》となったが、母親はすぐに顔を綻《ほころ》ばせて、

「ふふ、はい、精一杯《せいいっぱい》腕《うで》を振《ふ》るわせて頂きます」

「ウルもおてつだいするぅ！」

「……ならさっさと出るぞ」

同じ文字を連続して書けないので、母親の錠には『壊』と書いて発動させた。バキッとイメージした通りに錠が壊《こわ》れて解放させることができた。

「おにいちゃんが……ヒーローさん？」

ウルはジッと日色を観察するように見てくる。イントネーションが気になったが、恐らく自分の名前をミュアが教えたのだろうと思い頷《うなず》きを返す。

「そうだ」

淡白《たんぱく》にそれだけ答えると、今度は再び『開』の文字でウルの錠も外した。

「やっぱりそうなんだぁ！　えへへ！」

ウルが何やら嬉々《きき》とした表情を浮《う》かべるので理由が分からず眉《まゆ》を寄せる。ミュアはミュアで、何故か気まずそうな雰囲気《ふんいき》を表情に出している。

「……何だか分からんがここから出るぞ」

日色はもう一度、『隠』の文字を使うと、

パシッ！

「え……ええっ⁉」

ミュアは急に日色が自分の手を握《にぎ》ったので思わず声が出てしまったようだが、気づかれたらどうすると言って注意をする。

「ご、ごめんなさい……で、でもその……ヒ、ヒイロさん……！」

「おい、アンタたちもこの子と手を繋いでくれ」

ミュアの戸《と》惑《まど》いを無視して、親子にミュアと手を繋ぐように言う。

「時間が無いから急げ」

日色に急《せ》かされ、何が何だか分からないといった表情を浮かばせながらも三人は手を繋ぐ。そして日色はそのままの状態で馬車から出ていく。

こんな大勢でそんなことをすれば、見つかってしまうと三人は思ったが、不思議なことに誰一人《だれひとり》こちらに注目する者はいなかった。

実は『隠』の文字効果は、こうして日色と繋がっていれば、その効果の恩恵《おんけい》を受けることができる。

これで日色の救出劇は見事上手《うま》くいったのだった。

※

いつの間にか抜《ぬ》け出し、アノールドの攻撃範囲《こうげきはんい》の外に逃《に》げ込んでいた日色たち。それに気づいたからアノールドは全力で攻撃《こうげき》できたのである。

「……ん？　アイツは何者だ？」

フォルスは初めて見る日色の存在に気がつき眉をひそめる。

「へへ……」

アノールドの笑いが耳に届き、フォルスは歯を噛《か》み締《し》めながら睨《にら》みつける。

「どういうことだ！　アイツは何者だ！　いや、そもそも馬車からどうやって脱出《だっしゅつ》をした！」

「……へへ、そんなもん知るかよ。けどアイツはやれるって言ったから信じた。それだけだ！」

「何だと……何者だあのガキは……？」

「俺も知りてえが……どうだい、それはともかく、もう周りはてめえ一人だけだが、これで形勢逆転ってか」

フォルスは悔しそうな表情を……することはなく、何故か面白《おもしろ》そうに笑みを浮かべているだけだ。

「ククク、その体《てい》たらくでよく言うものだな！　それに貴様らなど、私一人で十分釣《つ》りがくる！」

凄《すさ》まじい殺気を放出してくる。ビリビリと大気を震《ふる》わすような感覚は、このくたびれた体には堪《こた》えるとアノールドは思った。

フォルスは剣を抜き、トドメを刺そうと柄《つか》を握る手に力を込《こ》め始める。

「おじさんっ！」

突然何を思ったか、ミュアがアノールドに駆《か》け寄り、彼の目の前で両手を広げて庇《かば》うような姿勢をとる。

「……何のつもりだ獣人《じゅうじん》のガキ」

「今度はわたしがおじさんを守るんだもん！」

力強い瞳《ひとみ》で前を見据《みす》えるミュアを見て、フォルスの何かがプツンと切れたように雰囲気が変化する。

「…………ふぅ、貴様らを見ていると苛立《いらだ》ってくる。依頼人《いらい》も吹き飛ばしてしまうとは……貴様らはもう殺すことにしよう」

憤怒《ふんぬ》と殺意を込めた恐ろしい形相でミュアを睨むと、手をかざして叫《さけ》ぶ。

「フレイムブレッド！」

フォルスの掌《てのひら》から炎《ほのお》の塊《かたまり》が弾丸《だんがん》のように打ち出された。それがまっすぐミュアへと向かっている。

「危ねえミュア！」

「おじさん！」

間一髪《かんいっぱつ》アノールドがミュアの体を抱《かか》え横に跳《と》んで避《よ》ける。

炎の弾丸はそのまま後ろの家の手前まで飛んで、弾《はじ》けた衝撃《しょうげき》で周囲に火が舞《ま》い散る。

※

（あの魔法《まほう》は強力だな。当たればオッサンでも一溜《ひとた》まりもない）

日色は腕《うで》を組みながらアノールドの戦いを観察していた。

（他《ほか》の奴《やつ》らはオッサンの技《わざ》のせいで気絶してるみたいだし、残りはあのチョンマゲだけか）

確かに武士のようなチョンマゲをしているのだが、ネーミングセンスがそのまま過ぎる日色の残念な感性だった。

（しかし、あのチョンマゲは別格の強さだしな）

そう言えばフォルスの《ステータス》を確認していなかったなと思い、『覗』の文字を使って調べてみる。

フォルス・ワグナー
Lv　58

HP　888／925
MP　479／576
EXP　172089
NEXT　11001

ATK　417（453）
DEF　382（415）
AGI　245（255）
HIT　205（229）
INT　219（223）

《魔法属性》　火

《魔法》クリムゾンスピア（火・攻撃）
ブレイジングミスト（火・効果支援《しえん》）
フレイムブレッド（火・攻撃）
バーンストライク（火・攻撃）
《称号《しょうごう》》元冒険者《ぼうけんしゃ》・獣人嫌《じゅうじんぎら》い・獣《けもの》の檻《おり》所属・人斬《き》り・獣人を狩《か》る者・執念深《しゅうねんぶか》い・蛇《へび》
属性・複眼の獣人殺し

フォルスの《ステータス》を確認して、アノールドとのレベル差を考えていた。

（オッサンは確か３１で、チョンマゲが５８か……オッサンが手玉に取られるわけだな）

この世界は確かにレベルが全《すべ》てではないと思うが、それでもレベルは重要なファクターの一つ。経験の豊富さを示しているのだ。

それに元冒険者、戦いの経験ではアノールドは勝てないなと判断した。

一応このまま人質になっていた彼女たちを助けた後は、アノールドが隙《すき》を見て逃亡《とうぼう》する予定だったのだが、あの立つにも難しい状況《じょうきょう》では厳しいのかもしれない。

アノールドはこの後は自分一人で何とかするからと言っていたが、どうにも旗色が悪い。

しかし後は任せろと言われている以上、このまま日色は見守ることに徹《てっ》しようと思っていた。そう思いながら額から汗《あせ》が滲《にじ》み出てくるのを感じる。

（それにしてもこう周囲が燃えてると熱いな…………ん？）

日色は何かに気づき硬直《こうちょく》する。

「あぁぁぁぁぁぁぁぁぁぁぁぁぁぁっ！」

突然《とつぜん》悲痛を込めた叫び声が周囲に盛大に響《ひび》く。その場にいる誰《だれ》もが、その声の主へ視線を走らせる。

皆《みな》の目に映っているのは、愕然《がくぜん》と口を開けて固まっている日色だった。

第五章　キレるヒイロ

丘村日色《おかむらひいろ》が絶叫《ぜっきょう》した理由は、目の前に広がっている光景にあった。

それは火だった。そしてその燃え盛《さか》る火の中に、何か大きなものが隠《かく》れている。急いでその場に駆け込む日色。そして咄嗟《とっさ》に『鎮』の文字で火を消すが……

ガクッと肩《かた》を落とし膝《ひざ》をつく。気づくのが遅《おそ》かったのか、もうほとんど燃えカスしか残っていなかった。その燃えカスを手に取るが、風で吹《ふ》き飛ばされていく。

そこには日色が『送』の文字でここへ送った本を包んだ風呂敷《ふろしき》があったはずだ。恐《おそ》らくフォルスの攻撃の影響《えいきょう》で火種が風呂敷へと移ったのだろうが……全滅《ぜんめつ》だった。

確かにまだ馬車の荷台には本が一冊残ってはいるが、残っているのは『世界一は誰だ！胸の大きなオ・ン・ニャ・ノ・コ！』である。些《いささ》かも興味が湧《わ》かない。

皆はそんな日色の行動にキョトンとしていたが、

「フ……フフ……フフフフフフフフフ」

突然日色は奇妙《きみょう》な笑い声を上げる。何か壊《こわ》れたような歪《いびつ》な感じがする笑い声だった。

そしてゆっくりと立ち上がり、『刺刀《しとう》・ツラヌキ』を抜《ぬ》いてカツカツと歩き、アノールドたちを追い越《こ》して止まった。静かに刀の切っ先をフォルスに向ける。

「オレの本をよくも燃やしやがったな！」

いや、アレはお前の本じゃねえだろとアノールドから突《つ》っ込《こ》みが聞こえてきそうだった。

「覚悟《かくご》、できてるんだなお前」

「何を言っているんだコイツは？」

フォルスにしてみれば、何故《なぜ》日色がそこまでキレているのか理解できていないだろう。

すると突然その場から日色が消える。否《いな》、消えたように見えるほどのスピードでフォルスとの間を詰《つ》めた。

「ちぃっ！」

カキイイイイン！

反射的にフォルスは剣《けん》を出し日色の刀を受け止め、刃物《はもの》同士が合わさり火花が散る。

「ぐっ！　コイツ、ただのガキじゃない⁉」

フォルスは認識《にんしき》を改めるように日色を見つめてくる。だがまたもその場から日色は素早《すばや》く移動する。そしていつのまにか相手の背後まで来ていた。

「速いっ！」

フォルスが咄嗟に前に跳んで避けるが、左肩《ひだりかた》を微《かす》かに斬《き》ることができた。

皆が日色の戦闘力《せんとう》に呆気《あっけ》に取られているが、『速』の文字を発動させていたのでこの動きができているのだ。

だがフォルスは予想外の速さで動き回る日色を見てニヤリと笑う。

「なるほど、確かにガキにしては驚《おどろ》きの動きだ。しかし……」

そうしてフォルスが右眼《みぎめ》にかけてある眼帯に手を掛《か》けると、今度はフォルスの方がその場から消える。そして瞬時《しゅんじ》に日色の背後に現れる。

ブシュッ！

「ぐっ⁉」

咄嗟に背後に気配を感じて前に跳んで避けるが、左肩を微かに斬られる。

「ククク、これで先程《さきほど》の借りは返した」

そう言いながら日色に傷つけられた左肩を指差す。

（アイツ……左右で眼の色……いや、形が違《ちが》う……？）

眼帯をかけていなかった彼の左眼は青かったが、右眼の方はまるで昆虫《こんちゅう》の複眼《ふくがん》のようになっている。

彼は今、左眼を閉じて右眼だけを開けているのだが、その右眼を指差す。

「クク、この右眼が気になるか？」

フォルスは優越感《ゆうえつ》を含《ふく》めた視線を向けてくる。

「教える義理は無いが、そうだな、一つ言えることはこれを埋《う》め込んだのが獣人《じゅうじん》だということだ」

その場にいる獣人であるアノールドたちもさすがにギョッとなる。

「その時の痛み、苦しみ、それがやがて憎《にく》しみとなる。まあ単純な話だ。だから私は獣人どもを許さない。とても憎んでいる。ただそれだけの話だ」

その場からフォルスが電光石火《でんこうせっか》の動きで向かって来た。

「だから獣人を庇《かば》う貴様も許さん！」

凄《すさ》まじい速さで斬りつけてくるが、何とか防御《ぼうぎょ》しようと刀を構える。

刃物同士が鍔《つば》迫《ぜ》り合いし火花が発生。だがフォルスは剣を握《にぎ》っていた両手から右手だけ外し、顔面を殴《なぐ》ってきた。

「うぶっ⁉」

やはりレベル差はいかんともしがたいのか、鍔迫り合いで日色は両手を使っていても、相手は片手で剣を支えられる。だから空いたもう片方の腕で攻撃《こうげき》できるのだ。

顔面を殴られて目の前に星がちりばめられる間、フォルスは次に刀を持っている右手を攻撃してきて、その衝撃《しょうげき》で刀を手放してしまった。これで丸腰《まるごし》になってしまった。

そのままガシッと襟元《えりもと》を掴《つか》まれ、上に持ち上げられる。かなり首が絞《し》まって苦しい。

フォルスは剣を鞘《さや》に納めて、素手《すで》でこちらの腹を目掛《めが》けて、

「ごほっ！　がはっ！　おほっ！」

何度も殴打《おうだ》する。完全にいたぶるつもりのようだ。

一撃一撃《いちげき》が重く、このままではＨＰが空になってしまうことを危惧《きぐ》したので、何とか《文字魔法《ワード・マジック》》を使おうと指を動かそうとする。

ガシッ！

しかし驚いたことに、右手を掴まれた。

「何をしようとしているかは分からないが、この右眼で一切《いっさい》の動きを把握《はあく》できるのだ」

どうやらこちらの動きに不自然さを感じて、何もさせないように動きを止めたみたいだ。

（くっ……ここまでの奴《やつ》なんてな……）

自分のレベルはまだ２０台、だがそれでも万能《ばんのう》である《文字魔法《ワード・マジック》》があれば何とかなると思っていたが、やはり戦闘経験の差は歴然過ぎた。

刀も落とされ、《文字魔法《ワード・マジック》》を封《ふう》じられたこの状態では自分には成す術《すべ》が無い。

（しかもコイツのこの目……広い視野の他に、多分身体能力の向上もあるな……特に動き

が速くなる……）

冷静に分析《ぶんせき》している状況ではないのだが、それでもそうしてしまうのは性分《しょうぶん》だった。

苦痛に顔を歪《ゆが》めていると、フォルスはもういたぶるのに飽《あ》きたのか、剣を抜いてきた。

そしてその切っ先を心臓の方へ向けてくる。

「終わりだ、赤ローブのガキ」

フォルスがニヤッと笑いながら手に力を込める。だがその時、

「うおぉぉぉぉぉっ！」

アノールドが叫《さけ》びながら、自分の持つ大剣を投げつけていた。

「ふん、馬鹿《ばか》が。見えてるわっ！」

フォルスは鼻息を漏《も》らすと、飛んできた剣をあっさりと自らの剣で弾《はじ》く。

「後で殺してやるから大人しくしていろ、クリムゾンスピア！」

火でできた細い真紅《しんく》の槍《やり》がアノールドに襲《おそ》い掛かる。

「うわぁぁぁぁっ！」

咄嗟にアノールドは両腕《りょううで》をクロスにしてガードするが、見事に命中して小さな爆発《ばくはつ》を生み、彼はその衝撃により後ろへ吹き飛んでいく。

ミュアはアノールドを必死に追いかけて、彼の腕《うで》に纏《まと》わりついている火を消そうと躍起《やっき》

になる。

「弱いくせにでしゃばるな。まるでこの前駆逐《くちく》した獣人の冒険者《ぼうけんしゃ》のようだな」

「はあはあはあ……そ、そうか、やっぱあの村の出来事はてめえらの仕業《しわざ》か！」

火傷《やけど》を負いながらも、この街に来る前に立ち寄った村での出来事が、やはり彼らの仕業だと理解し睨《にら》みつける。

「な、何でそんなひでえことができんだよっ！」

すると嘲笑《ちょうしょう》するような笑《え》みを浮《う》かべてフォルスは口を開く。

「言っただろ、憎いからだ」

彼がアノールドたちを睨む瞳《ひとみ》の奥に、凄まじい憎しみと怒《いか》りが込められていることが分かる。アノールドも痛みのせいか、歯を嚙《か》み締めて睨み返すだけが精一杯《せいいっぱい》だった。だがそんな中、

「言ってることは理解できる」

「あ？」

「だがそんなの関係無い」

ピカァァァァァァァアアアッ！

突如《とつじょ》、周囲が眩《まばゆ》い光に包まれた。

「ぐわぁぁぁぁぁぁぁぁっ！」

その光の中心は、フォルスの右眼の直前であり、かなり離《はな》れているアノールドたちでも思わず目を閉じてしまうほどの光だった。

もちろんそんな目前で目にしたフォルスの右眼は、一時的かもしれないが、凄まじい痛みと共に完全に闇《やみ》に落とされる。

「ごほごほごほっ！」

日色は首を擦《さす》りながら、上手《うま》くいったとほくそ笑んでいる。使用したのは『光』の文字。フォルスがアノールドに気を取られている間に素早く書いておいて、発動する隙《すき》を窺《うかが》っていたのだ。

拘束《こうそく》から逃《のが》れた日色は、光が収まると右眼を押さえて悶《もだ》えているフォルスを見下ろす。アノールドたちも何があったのか分からず呆然《ぼうぜん》としているが、日色が無事なところを見てホッとしているようだ。

（ふぅ、オッサンには借りができたな）

さっきは、もう少しで死ぬところだった。しかしアノールドのお蔭《かげ》で脱出《だっしゅつ》、そして反撃《はんげき》の隙が作れた。それは素直《すなお》に感謝すべきことだった。

フォルスもようやく痛みに慣れてきたのか、右眼を閉じながら左眼だけで睨みつけてく

る。やはり右眼はしばらく使い物にならないようだ。そして彼が立ち上がった瞬間《しゅんかん》、

「ごはっ！　ぐはっ！　がふっ！　ぶはっ⁉」

日色は素早く間合いを潰《つぶ》し腹に何度か拳《こぶし》をめり込ませ、最後は顔面に強烈《きょうれつ》な一撃《いちげき》をくれてやった。そしてついさっきフォルスがやったように傷跡《きずあと》を指差しながら、

「ククク、これで先程の借りは返した」

言葉までそっくり真似《まね》て返してやった。

「ぐ……こ、このガキがぁ……」

しかし、やはりレベル差もあることで、それほど大きなダメージは負っていないように見える。これならすぐに回復してしまいそうだ。

だが先程の『光』のせいで右眼は使用不可能になっているので、以前のような反応速度では動けなくなっている。

すぐに『速』の文字を書いて発動させる。このまま接近戦を続けるのは、フォルスに取って分が悪いはずだと判断し、即座《そくざ》に決着をつけるために間を詰めようとする。

「くっ！　接近戦が厳しいなら魔法で対応するまでだ！　クリムゾンスピア！」

だが今のフォルスでは、こちらの動きを捉《とら》えるのは難しいはずだ。

ヒュンヒュンヒュンヒュンヒュン！

真紅の槍を華麗《かれい》に避《さ》けていく日色を見て、徐々《じょじょ》に苛立《いらだ》ちを高めていくフォルスが見て取れる。

「ちっ！　一体貴様何者だ！　何故《なぜ》そこの獣人どもの味方をする！　貴様も人間だろう！　獣人は敵だぞ！　それが常識だ！　常識に従えっ！」

　すると、ピタッと足を止めた日色は、睨みつけながら言う。

「そんなもの関係あるか」

「な、何……？」

「さっき言っただろ。お前は獣人を憎んでる。言ってる意味は理解できると」

「…………」

「だが関係無いんだよ」

「何だと？」

「お前はオレの楽しみを奪《うば》った……だから許さん」

　もちろん本を燃やされたことなのだが、フォルスは日色の言葉を聞いてまるで身に覚えが無いので唖然《あぜん》としてしまっている。

「それにな、常識ってのがお前の勝ちってことなら、そんな常識、オレが歪めてやるよ」

「なっ！」

「お前の敗北って形でな！」

常識という理《ことわり》を歪めるのが、《文字魔法《ワード・マジック》》の真骨頂だと日色は思っている。

日色がズバッと勝利予告をしたその時、

「そうだぁ！　あんたなんかまけちゃえぇぇぇ！」

フォルスに対して言葉を放ってきたのは、ちょうどミュアたちの近くまでやって来ていたウルだった。

※

「ウル駄目《だめ》ぇぇぇっ！」

母親はいつの間にか自分の傍《そば》を離れたウルに驚愕《きょうがく》していた。

「この、おめめがヘンなひとぉぉぉぉ！」

ウルの叫びを聞き、フォルスは頭に血を上らせたように殺気を膨《ふく》らませる。

「……何だと？」

「ヘンヘンヘンヘンヘンヘンヘェェェェェエンッ！」

「…………余程《よほど》死にたいらしいな。なら望み通りにしてやろう！　フレイムブレッドッ！」

炎《ほのお》の弾丸《だんがん》が彼女を襲う。無論直撃《ちょくげき》すれば、ウルのような子供なら即死《そくし》することもあるだろう。ウルも突然《とつぜん》の攻撃《こうげき》に目を見開き固まっている。母親もまた彼女の名前を大声で叫ぶ。

「危ないっ！」

その場に辿《たど》り着き、ウルを抱《だ》きしめて庇《かば》ったのはミュアだった。

「ミュアァァァッ！」

アノールドも叫ぶが、彼ももうダメージのせいで咄嗟《とっさ》には体が動かない。ミュアも覚悟《かくご》したかのように目を瞑《つぶ》る。だが瞬間、体がフワッと浮く。

ドゴォォォン！

気づいた時、ミュアは体が温かいものに包まれていることを知る。この感覚には覚えがあった。それはつい先日、バーバラスベアに襲われていた時だった。そしてその時も危機《きき》一髪《いっぱつ》のところを助けてもらって、こんなふうに抱《かか》えられていた。そしてその人物は、前も今も…………………日色だった。

「え……ヒイロ……さん？」

「ったく、邪魔《じゃま》だから離れてろ」

二人を両腕《りょううで》で抱えながら無愛想に日色は言うが、左腕が少し焼け焦《こ》げていた。ミュアたちを助ける時に攻撃が掠《かす》ったようだ。

「ヒ、ヒイロさん……腕……」

自分のせいで日色が傷つき、顔が青ざめてしまうミュア。だが日色は別段気にしている様子は無く普段《ふだん》と同じ無愛想な表情のままだ。

「これくらい怪我《けが》のうちにも入らん」

フォルスは憎々《にくにく》しい表情で日色を睨んでいる。

「ちっ、当たらなかったか」

「悪いがコイツらは守らせてもらう」

それがアノールドと交わした依頼《いらい》内容だったからだ。だが日色の言葉を聞いて、子供二人は若干《じゃっかん》頬《ほお》を上気させる。

ウルはただ単に、カッコ良いと思っただけかもしれないが、ミュアにしてみれば、アノールド以外の男性から守ると言われたのは初めてだったため言葉の衝撃《しょうげき》力が大きかった。

「おい」

「ひゃ、ひゃい!」

ミュアは変な声を出してしまった。

「とにかく離れてろ」

「は、はい! ありがとうごじゃい……」

「……ごじゃい？」

「……ぁ……あぅ……」

プスプスと頭から湯気を出しながら顔を俯《うつむ》かせているミュアを見て、日色がその不可思議さに首を傾《かたむ》けている。

ただミュアはお礼を言おうとして噛んだことに赤面しているだけなのだが。

「いいから離れてろ！」

「は、はいぃ！　い、行こウルちゃん！」

「う、うん！」

※

二人が離れて行くのを背後で感じて、日色はこれでようやく自由に戦えると思って安心した。

「何か貴様を見ているとイライラしてくる！　だがその腕では痛みで自由に動けまい！」

フォルスはしてやったりといった感じで笑みを浮かべている。

そんな彼を見て日色は「はぁ」と呆《あき》れたように溜《た》め息《いき》を吐《つ》く。

「優越感《ゆうえつ》に浸《ひた》ってるとこ悪いが」

「……ん？」

日色は左腕に『治』という文字を書く。そして発動すると、青白い魔力《まりょく》が傷を覆《おお》っていき、瞬時《しゅんじ》に傷が塞《ふさ》がっていく。しかもフォルスが殴《なぐ》った顔面の痕《あと》も綺麗《きれい》になくなっていく。

「な、なにっ⁉」

それを見たフォルスは当然の如《ごと》く驚愕に顔を歪《ゆが》める。

「これで自由に動けるが、何か言うことはあるか？」

「……な、何なんだ貴様は……治癒魔法《ちゆまほう》？　それにさっきの光、つまり光魔法の使い手か！」

治癒魔法ができるのは光魔法だけというのがこの世界の常識らしい。だからフォルスは日色がそうだと判断したのだが、全く的外れだということを彼は知らない。

「さあな、そう思うのならそう思ってろ」

光魔法はとても稀少《きしょう》な属性であり、本来は『精霊族《せいれい》』しか使えないと言われている。だから目の前にいる日色が、油断できない相手だとフォルスは改めて認識したようだ。

「どうやらお遊びはここまでにしておいた方が良さそうだ。これで吹《ふ》き飛ばしてやろう！　私の最強の魔法だっ！」

今度は片手ではなく両手を向けてきた。日色も彼を正面に構えて見据《みす》える。彼に気づかれないように指を動かしていく。

「さあ、消し炭になるがいいっ！」

彼の周りに火の玉が複数、合計で十個現れる。どれも大きさはバレーボールくらいだ。

「バーンストライクゥッ！」

十個の火の玉が物凄《ものすご》い勢いで楕円《だえん》を描《えが》きながら日色に向かって飛んでくる。

ドドドドドドドドドドッ！

集中的に火の雨が降り注ぐ。凄《すさ》まじい熱気と衝撃《しょうげき》音がその場を包む。

「ヒイロォォオオオオッ！」

「ヒイロさぁぁぁあんっ！」

アノールドとミュアの叫《さけ》びが響《ひび》く。あのような強烈な魔法が直撃すれば、それこそ普通《ふつう》は一溜《ひとた》まりも無いだろう。

だが、ミュアたちの心配をよそに、土煙《つちけむり》の中から日色が無傷で飛び出してくる。

「ヒイロさん！」

ミュアは日色の無事な姿を確認《かくにん》し笑顔《えがお》を浮《う》かべている。しかしフォルスはその行動を予期していたかのようにすでに狙《ねら》いを定《さだ》めていた。

「そこから来ると思っていたぞ！　死ぬがいい！　フレイムブレッドォ！」

だが日色はその炎の弾丸目掛《めが》けて文字を放つ。すると大きな火の玉だったそれは、日色に向かう途中《とちゅう》で徐々に小さくなっていく。

身を低くして前に跳《と》ぶ。そして火の玉は、頭の上を通過し、少し進んだところで綺麗に消える。使ったのは先程《さきほど》燃えている本の炎を消した時と同じ『鎮』。

だが鎮火《ちんか》するまでに少しだけ時間かかるので、文字を放って下に掻《か》い潜《くぐ》るようにして避けたのだ。

地面に伏《ふ》したままの日色を見て、さすがのフォルスも何が起きたのか分からず目を大きく見開き固まっている。

「な、何をした貴様ぁ！」

「ふん、足元に注意しなチョンマゲ」

「は？」

フォルスの叫びを聞きながらもすでに行動に移っていた。今度は地面にある文字を書いて発動する。パチパチッと青白い魔力が放電に似た現象を起こす。

そして足元の違和感《いわかん》に吃驚《きっきょう》してしまうフォルス。

「う、動けん⁉　な、何だこれは⁉」

必死でその場を動こうと足を動かすが、まるで鳥モチに捕《つか》まったように足が地面から離《はな》れない。何故《なぜ》急に地面がモチのようになったのか混乱は増す。

『粘』

それが地面に施《ほどこ》した文字。イメージはまさしく鳥モチだ。

「き、貴様の仕業《しわざ》かぁっ！　つ、土魔法も使えるというのかっ!?」

身動きの取れなくなった彼を見て、日色は眼鏡《めがね》を上げながら冷酷《れいこく》そうに笑みを浮かべる。

その表情を見たフォルスは、背筋を凍《こお》らせ顔を青ざめさせる。

「な、何だ！　何をするつもりだ！」

「お前、火に自信があるんだよな？」

「……だ、だから何だ！」

「火の魔法使いが、火にやられる。面白《おもしろ》くないか？」

「……え？」

その場で『燃』の文字を書き、彼に放った。そして見事それは命中し、

「うぐわぁぁぁぁぁぁぁぁぁぁっ！」

フォルスの体が急に勢いよく燃え出したのだ。

「おお～おお～、よく燃えるよく燃える！」

フォルスはそのまま前のめりに地面に倒《たお》れるが、ネチャッと今度は全身が『粘』の餌食《えじき》になる。必死になって体を動かすが、地面が粘着《ねんちゃく》して全く身動きが取れない。

ただ火の魔法使いということは、火に対し耐性《たいせい》があるので常人よりはダメージは少ない。

しかしそれでも大火傷《おおやけど》を負うのは避《さ》けられない。

「このまま貼《は》り付け状態で少しは後悔《こうかい》するんだな。誰《だれ》にケンカを売ったのかを」

するとようやく火が鎮《しず》まり、息も絶え絶えの状態でフォルスが口を開く。

「き……ざま……」

「お？　さすがは火の魔法使い、まだ意識があるのか」

それは正直に驚《おどろ》くべき事実だった。思っている以上に耐性というのは大きなファクターなのだろう。

「き……ざま……なに……ものだ……？」

「何者？　……そうだな」

顎《あご》に手をやり少し考えた後、フォルスを見下ろしながらこう答える。

「ただのユニークチートだ」

「なん……だ……それ……は……」

「さあな、自分で考えろ」

「ぐ……ぐぅ……覚え……だ……」

「は？」

「オバエの……顔も……ぞれにぞいづらの顔も……覚えだぞ！」

これだけやられてまだやり返すという気概《きがい》があるとは恐《おそ》れ入るような思いだった。もしかしたらこれからずっと追われるかもしれない。だがしかし、

「あっそ」

日色は全く気にしていない様子だった。もう興味が失《う》せたので、その場を立ち去ろうとしたが、足を止め一言だけ言うことにした。

「あ、ちなみに今のお前全裸《ぜんら》だから。この変態チョンマゲ」

服は全て燃え尽《つ》きたのでそうなる。幸いなのは俯《うつぶ》せに倒れたので、大事な部分は見えないということだ。それでもプリンとしたお尻《しり》は丸出しなのだが。

「ぬ、おォォォォ！　絶対に忘れんぞォォォォォォォォォォッ！」

もがきながら叫ぶフォルスに対し、呆れたように溜め息を漏《も》らす。

(追って来られても面倒《めんどう》だしな。『忘』の文字で今回のことは……)

そう思った時、果たしてコイツだけでいいのかと疑問に思った。自分たちのことを知っているのは、フォルスだけでなく倒れている部下もだ。

『忘』というのは記憶《きおく》から完全に消し去るわけではない。思い出すきっかけがあれば思い出す可能性だってある。少なくとも自分はそう考えている。

だからもし記憶を消すのであれば、ここにいる全員に魔法を施さねばならない。フォルスが忘れても、部下の誰かが詳《くわ》しいことを話せば必ず思い出すだろう。

それにまだ試してはいないが、『忘』の効果ももし一分程度で消えるのなら意味が無い。

（仕方無いな。追ってきても煙《けむ》にまいてやればいいか）

このフォルスとの戦いでどうやらレベルも上がったことだし、これからもジャンジャン上げていくつもりだ。

フォルスが追ってくるのであれば、返り討ちにしてやろうと思って、結局《文字魔法《ワード・マジック》》を使用するのは止《や》めた。

だがギャーギャーとうるさいので、足元に転がっている石を拾い上げて、

「んぎゃっ！」

フォルスの頭に投げつけて大人しくさせておいた。彼は完全に白目を剝《む》いて意識を飛ばしている。

そうこうしている内に、やじ馬たちがゾロゾロと集まり出した。ここはめんどくさいことになる前にさっさとおさらばした方が良いと判断した。

「おいオッサン、街から出るぞ」

「ああ」

アノールドは先の戦いで体力をほとんど使ったが、少し休めたので歩けるくらいには回復したようだった。ミュアはそんな彼の体を支えるように寄り添《そ》っている。

ウルも母親に強く抱《だ》きしめられ、無事を喜ばれているようだった。そしてこちらにやって来たと思ったら、

「本当にありがとうございます！　何てお礼を言ったらいいか！」

「別にいい。一応依頼《いらい》だからな」

「……依頼？　何のことだ？」

アノールドは確かにミュアを助けるよう依頼はしたが、親子の存在を忘れていた。だから彼女たちに対して日色に依頼を出していない。

「ああ、それはね」

ミュアが、日色が助けに来てくれた時のことを話す。

※

ミュアに日色の救出劇を教えられたアノールドは、

「お前な……ホントまったく……」

まさか親子にまで対価を求めるとはと思い、呆《あき》れるようにジト目で睨《にら》むが、

「世の中はギブアンドテイクだ。何かしてもらいたかったら、オレが納得《なっとく》する対価を払《はら》ってもらう」

きっぱりと言い放つ日色を見てアノールドとミュアは苦笑《くしょう》を浮かべる。どうやら自分たちの旅仲間は、相当の変わり種で現実主義者なのだと改めて理解させられたようだ。

「あ、そういや本は燃えちまったようだけどよ、あの……何だっけ？　タイトルが途中までしか分からな――――」

言葉を途中で止めたのは、日色が物凄い視線で睨んできたからだ。まるでその話はするなと言っているようだ。

（や、やっぱ胸ってのは、そういう本だったようだな……）

日色にとっては気の毒だったなと思う反面、男なんだからそういうものにも興味を向けたらと思ったが、口には出さない。どうせ怒《いか》りを向けられるだけだ。

（しかし今回……コイツの助けが無かったら正直無理だったろうしな……）

アノールドは日色を見つめながら、本当に何者なのだろうと思った。『人間族』にして

は高い身体能力、それに何よりも特性の分からない魔法《まほう》を使う。

魔力《まりよく》を指に宿し、何かを書いているような仕草は見て取れるが、何を書いているのか分からない。

というより見たことが無い。そしてそれを放つと、何かが起きる。よく分からない魔法である。

（いつか聞き出してやる）

興味が湧《わ》き、そう胸に決意を固めた。だが今はここから離れる方を優先した方が良い。

「ちょ～っと待てぇぇぇいっ！」

だが離れようとしたその時、誰かの叫《さけ》び声が聞こえた。皆《みな》がそちらを向くと、そこには、

「逃《に》がしはしないぞ！　ウシシシシ！」

脂性《あぶらしよう》のデブがいた。名前はアブロ。彼はアノールドの《風陣爆爪《ふうじんばくそう》》に巻き込《こ》まれてどこかに飛んで行ったと思われたが、ボロボロになりながらも無事だったようだ。

日色はめんどくさそうに息を吐《は》くと、刀をスラリと抜《ぬ》く。

「おい、この七三アブラ」

「し、七三アブラッ⁉」

確かに髪《かみ》の毛は七三分けをしている脂性のデブ。さすがのネーミングセンスだった。

「死にたくなければ大人しくしてるんだな」

まるで悪役のセリフなのだが、日色の言葉を聞いて、

「ふ、ふん！　もうすぐここに《獣《けもの》の檻《おり》》の増援《ぞうえん》がやって来る！　私が呼んだ！　もう逃《にが》しはしないぞ！　その獣人は私のものだ！」

ビシッとミュアたちを指差す。そしていやらしく笑《え》みを浮《う》かべて、

「ウシッシシシ！　この傷の礼は今日の夜のご奉仕《ほうし》で目一杯《めいっぱい》返してもらうぞぉ！」

耳障《みみざわ》りな声で笑う彼だが、そんな彼の背後にツカツカと何者かが近づいてくる。しかしアブロはそれに気づいていない。

その人物を見て、ウルと母親がハッとなって安心感を顔に出している。

さらにアノールドたちもその人物が、どこかで見たことが、いや会ったことがある人物だったので目を見開いて驚いている。

その人物はアブロの背後に陣取《じんど》ると、

「ほう、ご奉仕とは何だ？」

「ウシシ！　そんなの決まっているではないか！　この私が満足いくまで、その体で気持ち良くさせてもらうのだ！　ウシシシシ！」

「ほほう、誰にだ？」

「ん？　そうだな、あの銀髪《ぎんぱつ》の子も捨てがたいが、やっぱりあっちの親子を辱《はずかし》めるのが先だな！　うんうん、特にあの女、獣人の癖《くせ》にけしからんほどのボディを持って……って……誰？」

ようやく自分に声を掛《か》けていた人物がいることに気がつき、ゆっくりと後ろを見る。そこには、世にも恐ろしい仁王《におう》のような表情をしたスキンヘッドの男がいた。

そしてその男は、間違《まちが》いなく以前出会ったラーブという人物だった。

ラーブがアブロの頭を、その大きな手で掴《つか》み、ギギギギギと力尽《ず》くでもう一度前を向かせる。

「オイコラ、確か今、あの親子を辱めるとか言ったよな？」

「え……あの……そそそそれ……は……」

完全にラーブの迫力《はくりょく》で萎縮《いしゅく》してしまっている。ガタガタブルブルと無意識にバイブレーション機能付きの体になっている。

その体を片手で掴み上げ、今度は自分の顔の前にアブロの顔を持って行く。

「いいかオイ、よく聞け」

「ひゃ、ひゃいっ！」

「あの絶世の美女と、愛くるしい美少女はな……」

掴んでいる頭をパッと放す。そしてその丸太のような太い剛腕《ごうわん》を下から振《ふ》り抜き、アブロの顎《あご》を捉《とら》える。

「俺《おれ》の大事な妻と娘《むすめ》だぁぁぁぁぁぁぁぁぁぁぁぁっ！」

ゴキイイイッ！

「ぶりゅぶふぃっ！」

顔の骨が砕《くだ》かれる音を響《ひび》かせながらロケットのように空へと飛んでいくアブロ。

「パパァァァァッ！」

え、パパなの？　と言った感じで日色たちは唖然《あぜん》としているが、ウルとその母親がラーブの元へと向かって行く。ウルは男に跳《と》びつき、優《やさ》しく抱《かか》えたラーブは頭を撫《な》でている。

母親もホッとしたのか、その目に涙《なみだ》が浮かんでいる。少しの間、彼女たちが何かを話していると、ラーブがこちらに声を掛けてきた。

「どうやらお前さんたちにはまた世話になっちまったようだな！　けど、あのデブの言ったように増援が来そうなんだわ。外に馬車を用意してるから来てくれ！」

※

「ほんっとうにありがてえ！　この通り、感謝感激だ！」

ラーブは腕利《うでき》きの冒険者《ぼうけん》であり、冒険者の中でもその実力を知られた有名人だった。アノールドも、そう言えば聞いたことがあると言って思い出していた。

だが彼はれっきとした『人間族』だった。ウルにパパと呼ばれていたことが疑問に思えたが、ラーブは聞く前にあっさりと答えてくれた。

少し前に冒険していた時、ラーブは深手を負ったことがあった。その時に手当てをして助けてくれたのがウルとその母親であるジルであった。

彼女たちは死んだ夫が建てた小屋にひっそりと住んでいた。そこへラーブがやって来て、傷だらけの彼を見たジルは、放置しておくことができないと思い手当てを施《ほどこ》したのだ。

無論この時代、人間と獣人の関係が良くないことは彼女たちも知っていたが、たとえ罵《ば》詈《り》雑言《ぞうごん》を浴びせられようが、困った人を放《ほう》っておくことはできなかった。

目が覚めた彼と目が合った時、一体どんな嘲笑《ちようしよう》や侮蔑《ぶべつ》が待っているかと覚悟《かくご》したが、彼の言葉を聞いて思わず時を止めた。

『美しい！　こんなに美しい人は見たことが無い！』

その言葉はまさに衝撃《しようげき》的だったという。

「いや〜、あれから猛《もう》アタックしてこうなったわけよ！　ガハハ！」

豪快《ごうかい》に笑うラーブを見てアノールドとミュアはキョトンとしている。まさか獣人に対して一目惚《ひとめぼ》れをして結婚《けっこん》を申し込むとは豪胆《ごうたん》過ぎる人物のようだった。

「だけどあなた、どうしてここに？　街に来られるのは三日後ぐらいになるって言っていたのに……」

ジルの言葉にラーブは目をキラーンと輝《かがや》かせて笑みを浮かべる。

「バカだな。三日なんて寂《さび》しいじゃねえか。俺は一刻も早くお前とウルに会いたくて、仕事を速攻《そっこう》で終わらせたに決まってんだろ？」

「あなた……」

二人は見つめ合い、手を取り合って桃色《ももいろ》の雰囲気《ふんいき》を醸《かも》し出している。

ミュアは「あわわ」と言いつつ目を手で覆《おお》い隠《かく》しているが、しっかり隙間《すきま》から見ている。

何でもこの街に立ち寄る前、ラーブたち三人は別行動をとったという。

ラーブは仕事でこの街の近くにある森にクエストをこなしに行って、その間、ウルたちはこの街で待っていることになった。

しかしそこで運の悪いことに《獣《けもの》の檻《おり》》の情報網《じょうほうもう》に引っ掛かったというわけだ。

「けど、ホントに無事で良かった」

「ええ、この方たちが助けて下さったのよ」

「うん！　ヒーローさんなの！」

「ん？　ヒーローさん？」

ラーブがウルの言葉に首を傾《かし》げるが、ミュアはピクッと体を反応させる。

「うん！　ね、おねえちゃん！　おねえちゃんのゆうとおりヒーローのおにいちゃん、きてくれたもんね！」

「え……あ、うん、そ、そうだね」

純粋《じゅんすい》にキラキラと光らせた瞳《ひとみ》を向けてくるウルに対し、実は自分が思っていたヒーローはアノールドでしたとは言えない彼女だった。

「いや、改めて感謝するぜ！　えと名前は……」

「あ、ああ、俺はアノールド、この娘はミュアで、そっちの無愛想極《きわ》まりない奴《やつ》はヒイロだ」

勝手に人の名前を教えるなと言いたそうだが、そんな空気でもないと思っているのか日色は黙《だま》っていた。

「そっか、三人とも、家族を助けてくれてありがとう！」

強面《こわもて》の顔をしているラーブだが、素直《すなお》に感謝を言える彼に対しアノールドとミュアは好感を抱《いだ》いた。

そういえば初めて会った時も、ミュアを怯《おび》えさせてしまったことに対し、ちゃんと素直に謝罪してくれた。

だがまさかあの時、《フロッグビーの針》を欲しがった彼と、こんなにも早く再会するとは思っていなかった。

「いや、俺たちもミュアが捕《つか》まってたからな。助けたのはついでなんだ」

「それでもだ。この通り、感謝する。あの時のことも含《ふく》めて改めて感謝だ！」

「本当にありがとうございました」

「ありがと、おじちゃんに、ヒーローさん！」

「お、おじちゃん……ま、まあミュアにもそう呼ばれてるからいいんだけど……でもまだ俺は若いつもりで……」

小さい子におじちゃんと呼ばれて、改めて自分がそういう立場にいるのだと思えて少し悲しくなったのだろう。

できればお兄ちゃんと呼んでほしかったというのは彼の叶《かな》わぬ願いらしい。

ぐううううううっ！

突然《とつぜん》地鳴りのような音が近くから聞こえたので、皆が音の方向へ視線を向けると、そこには腹を手で押さえた日色がいた。

「あらあら、ふふふ。それではこれからお礼と依頼料《いらい》も兼《か》ねて、腕《うで》を振《ふ》るわせて頂きますね」

ジルが袖《そで》を捲《まく》りながら馬車の荷台に積んである袋《ふくろ》に手を入れて、調理道具を次々と出していく。

「ウル、手伝って」

「は〜い」

「あ、わたしも手伝います！」

「料理人の俺が黙って見てるわけにはいかねえよな」

どうやらここで飯をご馳走《ちそう》するという依頼料を日色に払《はら》おうと思ったらしい。日色もちょうど良かったと思って、食事ができるのを楽しみに待った。

※

ラーブは、馬車で大分離《はな》れたが、一応追っ手がないか周囲をパトロールに行った。日色は、涎《よだれ》を誘《さそ》う良い香《かお》りに包まれながら、料理ができるのを静かに待っていた。

ラーブが帰って来た頃《ころ》に、ちょうど料理も完成した。追っ手もいなかったらしく、これで安心して料理を楽しめる。

「喜べ野郎《やろう》ども！　うちの美人妻は料理の達人だ！」

確かに目の前に出されている料理を見て思わず感嘆《かんたん》の溜《た》め息《いき》が漏《も》れた。

「柔《やわ》らかく栄養のある《クローバーラットの肉》を、《ブループラム》と《オルチーの実》を混ぜて作ったソースで絡《から》めました。それにこちらは甘辛《あまから》い《トウガの実》を砕いてライスと混ぜ合わせた《トウガライス》です。他《ほか》にもいろいろご用意させて頂きました。どうぞ、お召《め》し上がり下さい」

皆《みな》で「いただきます」をして料理を口に運んでいく。

「……これは美味《うま》いな」

日色が食べた《クローバーラットの肉》はいわゆるローストビーフ感覚で楽しめた。とても柔らかく、酸味のあるソースと絶妙《ぜつみよう》にマッチングされている。

また《トウガライス》は言ってみればチャーハンだ。しかも一口食べれば、その甘辛い刺激《しげき》で次も次もと唾液《だえき》が山ほど出てくる。癖《くせ》になりそうな味だった。

ラーブが言うように、確かに彼女の作った料理はどれも美味《おい》しい。また日色がたらふく食べられるように大量に作ってくれていたので、こうして満足気に舌鼓《したつづみ》を打っている。

「はぁ～、見てみろよアノールド、ウルの食べる姿って、まるで天使じゃねえか～」

「フッ、甘いなラーブ。見ろ！　それ以上の天使ならその隣《となり》にもいるぞ！」

いつの間にか仲良くなっていた二人は、互《たが》いの娘に顔を蕩《とろ》けさせて親バカぶりを発揮していた。

「はあ？　お前何言っちゃってんの？　ウルより可愛《かわい》い天使なんているわけねえだろうが？」

「ははは、おいおいブラザー、よく見てみろ。あの光が透《す》き通るような銀の髪《かみ》。愛らしい目とふっくらほっぺ、そして小さくて可愛らしい口。どれをとっても天使と見紛《みまご》う、いや、ありゃ天使そのものだろうが？」

「ほほう、ならてめえはこう言うつもりか？　俺のウルがミュアに負けてると？」

ラーブは笑顔《えがお》だが、背中から黒いオーラのようなものが漂《ただよ》ってきている。

「安心しろってラーブ。ミュアと比べられると、誰《だれ》も勝てねえって」

「ふっざけんなっ！　それはコッチのセリフだバカヤロウ！　てめえは知らねえだろうがウルはな、俺を起こしてくれる時、おはよって言っておでこをごっつんこしてくれんだぞ！」

「何ィィィッ！　お前そんな羨《うらや》ましいことされてんのか！」

「ふふふ、どうだ！　その時のウルの可愛さなんて、まさに楽園で天使と戯《たわむ》れてる気分になるぜ！　二日酔《よ》いの時も一瞬《いっしゅん》で気分上々だ！」

「くっ………お、俺のミュアだってな、今日は一杯汗《いっぱいあせ》かいたでしょ？　ってな感じでお湯で濡《ぬ》らしたタオルを使って背中とか拭《ふ》いてくれんだぞ！」

「そ、それは盲点《もうてん》だったぁぁっ！」

その時ラーブは、今度から絶対に汗を拭く時、ウルにしてもらおうと心に決めたのか、拳《こぶし》を握《にぎ》りながらウンウンと頷《うなず》いていた。

「はいはい、お二人とも、あまり騒《さわ》がないで下さい」

ジルが二人の間に入り窘《たしな》める。

「う……で、でもジルよぉ」

「でもではありません。二人とも可愛い。それでいいではありませんか」

ジルの言葉を聞いて、互いにしばらく顔を見合わせた後、ニッと笑い肩《かた》を抱《だ》く。

「そうだな！　可愛いは正義だ！」

「そうだそうだ！　ミュアもウルも天使だ！」

「まったく、この人たちったら……」

ジルは呆《あき》れたように肩を竦《すく》める。だがその時、アノールドとラーブの笑顔が固まる光景が目に飛び込んで来る。

「おにいちゃん、これもたべて！」

「あ、あああのヒイロさん！　こ、これもおいしいですよ！」

どういうわけか、ウルとミュアは日色の両隣《りょうどなり》に陣取《じんど》り、自分の持っている食器を差し出していた。頬《ほお》を赤く染めているというオマケ付きでだ。

「ん？　お前ら食わないのか？　なら貰《もら》うが」

二人の食器からそれぞれ食べ物を取って口に運んでいく。それを見て嬉《うれ》しそうに微笑《ほほえ》む二人。そしてそんな二人の様子を見て、ジルは微笑ましそうだ。

「あらあら、ふふふ、大人気ねヒイロくん」

だがそれを許容できない大人が若干《じゃっかん》二人ほどいる。

「お、おいアノールド、ありゃ何だ？」

「ははは、大丈夫《だいじょうぶ》だラーブ、ありゃ何かの間違《まちが》いだ。うん、きっとそうだ」

アノールドとラーブは、引き攣《つ》らせた笑みを浮《う》かべながら、額に青筋《あおすじ》を立てている。

「ねえおにいちゃん、おにいちゃんってつおいんだね！　それにとってもかっこいい！　ねえねえ、ウルがおよめさんになったげよっか！　えへへ！」

「ウ、ウウウウウルちゃん！　そ、そんな、おおおお嫁《よめ》さんだなんて！　ま、まだ早いんじゃないかな！」

「ええ～、でもウル、おかあさんのこどもだからビジンさんになるよ？」

彼女の母親であるジルはスタイルも抜群《ばつぐん》の美女であることは間違いないのだ。だからその血を引いているウルも、将来は美人になると思い込《こ》んでいる。

「あわわわわ！　で、でもでもぅ……」

ウルの無邪気《むじゃき》過ぎる態度に慌《あわ》てた様子であわあわとなっているミュアだが、そんな二人をよそに日色は食事に集中していて何も聞いていなかった。

そしてそんな三人を見ていた男二人はというと……

「お、おいアノールド、あのガキを遠ざけるにはどうすりゃいい？　……やらんぞ、俺の愛《いと》しいウルはやらんぞ小童《こわつぱ》がぁぁぁぁっ！」

「ははは、そんなもん、俺たちはこれから旅に出るからお前の娘《むすめ》は大丈夫だ、安心しろ。安心できないのは一緒《いつしよ》に旅をしているお、お、俺だぁぁぁぁぁっ！　つうかてめえヒイロ！　羨まし過ぎるぞこのクソ野郎ぉぉぉぉぉぉっ！」

血の涙《なみだ》を流さんばかりの二人の叫《さけ》びにも、我関《われかん》さずといった感じでリスのように頰を膨《ふく》らませている日色。

（うむ、これも美味いな。本は残念だったが、これから大陸を回って手に入れるって手もあるしな。今回はこれで我慢《がまん》しとくか）

まるっきりアノールドたちを相手にしていない日色であった。

エピローグ

そして食事が終わり、ラーブの馬車で近くの街まで送ってもらった。

「もう行くのかラーブ」

「ああ、追っ手が来ないとも限らんしな。それにいつか獣人界《じゆうじん》へ向かうつもりだ」

冒険者《ぼうけん》の間では『人間族』の大陸を人間界、『獣人族』のそれを獣人界、『魔人族《まじん》』のそれを魔界と呼んでいるらしい。

「一緒に行きゃいいんじゃねえか？」

アノールドは、どうせ行く道が同じなら、一緒に行けばいいと思ったようだ。ラーブは腕利《うでき》きの冒険者なので、もし一緒に居てくれるのならとても心強いと思ったのかもしれない。

しかしそんなアノールドの期待が込められた言葉に対し、ラーブは頭を横に振《ふ》る。

「悪いなアノールド、俺たちはちょっと寄るトコがあんだよ」

「寄るトコ？」

「ああ、一応俺は『人間族』で、親兄弟はコッチにいるからよ」

そうだ、彼は獣人ではなく人間。つまり家族は人間界にいるのだ。

「だから向こうに行く前に、一言ぐらい挨拶《あいさつ》しなきゃな。一応育ててくれた親と、一緒に育ってきた兄弟だしな」

「……そうだな。うん、お前の言う通りだ」

彼の言い分は至極《しごく》当然のものだった。いくら自分の好きなように人生を送ろうと、家族は心配するものなのだ。もしかしたらもう会えなくなる可能性だってある。

だからこそ、生まれ育った街をしっかりと目に焼き付けておきたいし、親兄弟に自分の居場所を教えておきたいと思うのは普通《ふつう》の感覚だろう。

「ところで、お前らは真《ま》っ直《す》ぐ国境を目指すんだろ？」

「ああ、今の人間界は獣人には住みにくいからな。それに《獣《けもの》の檻《おり》》のこともある。追われる生活ってのは、思ったよりキツイからな」

もし今回の件が無ければ、それほど急ぐ必要も無かったが、フォルスの最後の言葉を聞いて暢気《のんき》に構えてられるほど余裕《よゆう》を持てるような図太い神経は持ち合わせていないとアノールドは言う。

そしてできれば一刻も早く国境を越《こ》えて、獣人界へと足を踏《ふ》み入れたいとも言っていた。

「そっか、そっちの赤ローブはどうすんだ？　お前さんは人間みたいだけどよぉ」

ラーブが日色に視線を向ける。だが憮然《ぶぜん》とした態度で日色は言う。

「あ？　答える義務は無いな」

「こ、このガキャ……」

ヒクヒクと頬を引き攣らせる。だがそんな日色を見てウルは
「そんなクールなとこもかっこいいよねぇ～おかあさん！」

「ふふふ、そうね」

そんな二人の会話を聞いたラーブはピキキと額に青筋を浮かばせ、カツカツと日色の目の前に来て、手を差し出す。

どうやら握手《あくしゅ》を望んでいるようなので、一応それに応《こた》えてやる。しかし手が物凄《ものすご》い力で締《し》めつけられる。

そして、ぬぅっと厳《いか》つい顔を近づけてくる。まるでその表情はマフィアが敵を脅《おど》す時のような迫力《はくりょく》を宿していた。だが何故《なぜ》かその両目から涙を流している。

「……礼は言う。けど娘は渡《わた》さねえぞコラ！」

「涙を流しながら何をほざいてやがる。暑苦しいから離《はな》れろスキンヘッド」

「ぐぬ……おいアノールド！　てめえ、よくこんな横柄《おうへい》な小僧《こぞう》と旅をしてんな！」

「……はは」

彼の言葉は痛いほど分かるはずのアノールドだが、今はアノールド自身、日色に興味が湧《わ》いているのもまた事実なのだ。だから苦笑《くしよう》を浮かべるしかなかったらしい。

「おにいちゃ～ん！　ううん、ヒーローさ～ん、またねぇ～！」

「ありがとうございました～！」

「アノールド、ミュア、元気でな！　あと小僧、てめぇはいつか泣かしてやっからなぁ！」

ウル、ジル、ラーブがそれぞれ馬車の中から言葉を投げかけている。

「……何でオレはあのオッサンに目の敵《かたき》にされてるんだ……？」

人の好意に疎《うと》い日色は、まさかウルが自分のことを気に入っていて、それがラーブには気にくわないということに全くもって気づいていない。

三人と別れた後は、街で一泊《いっぱく》してそれから国境へと向かうことに決めたのだが、アノールドが、

「少し話いいか？」

日色はめんどくさそうに彼の顔を見るが、その真剣《しんけん》さが伝わって来て、これから話すことは重大なことだということを感じ取り日色も真面目《まじめ》に彼の目を見返す。

「ヒイロ、お前、このまま俺たちと一緒でいいのか？」

「どういうことだ？」

横にいるミュアも申し訳ないといった表情をしている。日色は彼の言っている言葉の意味が分からず怪訝《けげん》な顔を作っている。

「今回のことで、俺たちは《獣《けもの》の檻《おり》》に完全に目をつけられた」

「…………」

「追っ手もくるだろう。俺たちが国境を目指していることは教えたから知ってるな？　けど、もしかしたら先回りされてるかもしれねえし、国境を越えるにはかなり面倒《めんどう》なことになる可能性が高《たけ》え」

確かに彼の言う通り、フォルスは日色たちの顔を覚えたと公言して、必ず捕《つか》まえてやるといった執念《しゅうねん》も感じた。

このままアノールドたちの傍《そば》にいれば、今回のようにひょんなことから面倒事に巻き込まれる可能性が高くなる。

「それに、俺たちのせいでお前まで巻き込んじまって……ホントすまねえと思ってる」

普段《ふだん》のアノールドらしくなく、本当にそう思っているのか申し訳なさが滲《にじ》み出ている。

アノールドは実際のところ日色に興味があると言っていたし、一緒に旅をしたいとも思っているみたいだが、これ以上迷惑《めいわく》をかけるのは忍《しの》びないとも思っているようだ。

だから日色が一人旅に戻《もど》るというのなら素直《すなお》に受け入れるつもりなのだろう。確かに一人だったら、恐《おそ》らく誰《だれ》からも逃《に》げ切れるだろうと感覚で日色は理解していた。

アノールドたちは、共に旅するリスクを抱《かか》えてまで、無理してついてきて欲しいとも思っていないということだ。

だがそんな考えを一掃《いっそう》するかのように日色の吐《は》いた言葉は彼らを唖然《あぜん》とさせた。

「関係無いな」

「……は？」

「オレは自分が決めた行動を他人のせいにするのは嫌《きら》いだ。追っ手に追われるのも、十分考えた上で覚悟《かくご》した結果だ」

日色の言葉にアノールドとミュアは珍《めずら》しいモノを見たような顔をして固まっている。

「何を馬鹿《ばか》みたいに呆《ほう》けてる？」

「え、あ、いや……」

アノールドにしてみれば、かなり意外な答えが返ってきたので驚《おどろ》いて呆気《あっけ》にとられているらしい。

日色の性格上、厄介者《やっかいもの》である自分たちと離れる方を選ぶ可能性の方が高いのではと思っていたみたいだ。

しかし日色の出した答えはそれを裏切るものだった。無論アノールドたちにとって嬉《うれ》しい誤算だったわけだが。

「それに、オレも国境を目指してると言ったろう。どうせ行く道は同じなんだ。今回オッサンが借りを作ったと思うなら、この旅でそれを返してくれればいい」

「ヒイロ……お前……」

少し感動したようにアノールドは日色を見ているが、日色はこういう旅も悪くないと思い始めていた。

確かに面倒な事は多いが、退屈《たいくつ》が無いのだ。それにアノールドたちが持っている情報は、これからも必要になってくる。

少なくとも、自分の手に負えないほどの事態になるまでは、共にいても良いと判断した。何かあれば《文字魔法《ワード・マジック》》を使ってでも逃げればいいと思っている。

それだけ自分の魔法には信頼《しんらい》できるだけの力がある。だからこそ、少し楽観的な気持ちでいられるというわけだ。

それにアノールドには、危《あや》うい所を助けてもらった借りもある。別れる時は、日色らしくそういったものを全《すべ》てチャラにしてからと考えている。

※

「あ、あのあの……今回のことすみませんでした！　そ、その……怪我《けが》までさせてしまって……」

突然《とつぜん》ミュアは被《かぶ》っていた帽子《ぼうし》を脱《ぬ》ぎ日色に向かって頭を下げた。今回の件で、結果的に足手《あしで》纏《まと》いになったことを謝りたかったのだ。

「だから気にするなと言ったろ？」

「で、ですが……うぅ……」

顔を俯《うつむ》かせたが、また顔をパッと上げると、

「そ、それと、助けてくれてあ、あ、ありがとうごじゃい……あ！」

「……ごじゃい？　流行《はや》ってるのか？」

「あ……あぅ……」

慌《あわ》てて頭を下げて謝罪と感謝を示すミュアは、早口で捲《まく》し立てたため、またも噛《か》んでしまい、「ごじゃい」と言ってしまった。

恥《は》ずかしくなってシュンとなり目を伏《ふ》せていると、

「おい」

日色に声を掛《か》けられたので返事をしながら顔を上げる。

「あ、は……ぃ……」

人差し指で、おでこに軽くトンと触《ふ》れられる。そしてこう言われた。

「お前も、気にするようなら強くなれ」

そう言って街の中へと一人で歩いて行く。そんな彼の後姿をぽ～っと見つめる。

そんなミュアと日色を交互《こうご》に見つめて、アノールドは歯をギリギリと噛んでいる。

親バカ全開の彼の気持ちも知らず、ミュアは額にそっと手を触れて、微《かす》かに頰《ほお》を染めていた。しかも普段と違《ちが》い、心臓の動きが激しいことも気づいていた。

思わず手に持っていた帽子を深く被《かぶ》り顔を隠《かく》す。

（うぅ～何かすっごく恥ずかしいよぉ）

誰にも気づかれていないと思うが、ミュアは無意識に顔を俯かせていた。

「おい、早く来い。誰が宿をとると思ってるんだ」

日色が眼鏡《めがね》をクイッと上げて、足を止めていつまでも来ない二人に不機嫌面《ふきげんづら》を向ける。

するとビシッと指を差してくるアノールド。

「ふっざけんなぁぁぁっ！　いろいろホントムカつくんだよお前はぁ！」

「叫《さけ》んでないで仕事しろロリコン」

「何だ仕事ってのはぁっ！　っつうかロリコン言うなぁっ！　そもそもそれはお前だろうがぁぁぁっ！」

「は？　何をとち狂《くる》ったこと言ってるんだ？」

「うるせえっ！　とにかくミュアは渡さねえからなぁぁぁっ！」

「どうでもいいからさっさと宿をとってこい変態」

「ああもう！　誰が変態だ誰がぁっ！」

そんな二人のやり取りを見て、ミュアはクスッと笑《え》みを作ると、

（あは、何だかこれから楽しくなりそ！）

二人を追うように走って行った。

※

一方、日色たちが《獣《けもの》の檻《おり》》との戦いを終えた数日後、【人間国《にんげんこく》・ヴィクトリアス】では、その事件で、またも謎《なぞ》の赤ローブが活躍《かつやく》したということを聞いた青山大志《あおやまたいし》たちは、優雅《ゆうが》にティータイムをしながらその話題について雑談していた。

「へぇ、また赤ローブが活躍したのかぁ～」

大志は紅茶を口に流し込《こ》みながら、その話を聞かせてくれた第一王女のリリスに視線を向ける。

「はい、ですが今回のことに関しては父上も、正式に調査されるようです」

「そうなん？」

大志と同じく勇者の一人である赤森《あかもり》しのぶが聞き返す。

「はい、《獣《けもの》の檻《おり》》の方々は、確かに人間の味方であると言えますが、少しやり方が過激過ぎるとのことで、人々からも疑問視するような声が上がっているようです」

「確かあれでしょ？　獣人を要人に高値で売り付けたり、奴隷《どれい》市場に出したり」

嫌《いや》そうに言葉を吐くのは鈴宮《すずみや》千佳《か》である。

「幾《いく》ら他種族だからといって、そこまでするなんて酷《ひど》いです」

続けて皆本朱里《みなもとしゆり》も言う。

「まあ、でも今回はその赤ローブのお蔭《かげ》で獣人の子供たちは助かったんだろ？　良いことしたじゃないかそいつ」

大志は笑みを浮《う》かべて称賛《しょうさん》の声を上げる。

「ええ、ですが……」

少し言い難《にく》そうな表情をしたリリスに疑問を感じる。

「どうかしたのか？」

「あ、あのですね、その赤ローブの方のことなのですが、どうも特徴《とくちょう》がその……あの方に似ていらっしゃるようなのです」

「あの方？　……誰？」

「皆様《みなさま》と同じように召喚《しょうかん》されてこられた……」

「え……丘村のこと？　はは……まさかぁ」

大志だけでなく、他《ほか》の三人も一笑《いっしょう》する。彼のことを知っている人物からすれば、そんな人助けをするとは思えないのだ。

「は、はぁ、皆様がそう仰《おっしゃ》るのであればそうなのでしょうが……」

「まあ、赤ローブのことも気になるけど、丘村のこともだよなぁ。アイツ、今何してんのかな？　この国にいるのかな？」

「どうでもいいわよあんな性悪《しょうわる》」

「千佳っちはホンマ丘村っちのこと好かんのやなぁ」

しのぶが面白《おもしろ》そうに声を上げる。

「ですが、本当に無事なのでしょうか……丘村くん」

「なに？　もしかして朱里、心配してんの？　止《や》めときなさい。どうせ心配しても、心配される義理など無いとか何とか言われるだけだと思うし」

リリスが言うには、その赤ローブの少年のことも調査対象に入っているということらしい。そのうちもっと詳《くわ》しい情報が入ってくるだろう。

「今はそんなことよりも、俺らは俺らのやれることをしようぜ」

大志がニカッとリリスに向けて笑うと、彼女は恥ずかしそうに「はい」とだけ答える。

それをつまらなそうに見ていた千佳に、大志は脛《すね》を蹴《け》られて悶絶《もんぜつ》していた。

あとがき

皆様《みなさま》初めまして、十本《とおもと》スイと申します。

夢のようだ、という言葉があります。まさに僕が体験した非常に稀少《きしょう》な出来事でした。

それは言わずもがな、こうして書籍《しょせき》化させて頂いたことです。

去年の九月頃《ごろ》でしょうか、趣味《しゅみ》でWEB小説を書き始めてしばらく経《た》った時、その運営サイトから一通のメールが届きました。そのメールを見て、しばらく唖然《あぜん》と……。

『富士見書房《しょぼう》様のある方から書籍化のお話が来ております』と書かれてありました。

富士見……めっちゃ有名じゃね!? これは何かの策略か、それとも………夢か？

そう思ってしまったのは仕方がないと思いませんか？　まさか文才が著《いちじる》しく低レベルの自分の作品が出版社の方の目に留まるとは考えていませんでした。

まだまだ小説を書き始めて二年も経っていませんので、本当に絶句してました。

まさに夢のようだ、と思わず誰《だれ》もいない自分の部屋で呟《つぶや》いたのを覚えています。

最後に謝辞を述べさせて頂きたいと思います。

僕をこのライトノベルの世界に誘《さそ》って下さった編集者Hさんと、担当さんであるOさんをはじめ、この物語を本という形で出版することができるように力を尽《つ》くして頂いた大勢の皆様に心から感謝致《いた》します。

またイラストを担当されているすまき俊悟《しゅんご》さんには、僕の思い描《えが》いていたキャラクターを描いて命を吹《ふ》き込《こ》んで下さって本当に嬉《うれ》しく思っております。とても魅力《みりょく》的で素晴《すば》らしいイラストだと思いました。

そして何よりも、この物語をWEB版から支援《しえん》して下さった方、そして実際に本を手に取って下さった方々には感謝の言葉もございません。

この物語の発祥《はっしょう》であるWEBサイトがあったこと、読者の皆様の目に留まったこと、さらに編集者の心を摑《つか》めたこと、その全《すべ》ては偶然《ぐうぜん》が重なった僥倖《ぎょうこう》であり恵《めぐ》まれた結果です。

その機会を得ることができ、こうして本にできたことにただ喜ぶだけではなく、さらにもっと楽しくて、ハラハラし、グルメで美味《おい》しい物語を作っていきたいと思います。

もちろんロリロリ成分も全開でやっていきます。

ではまた、是非《ぜひ》皆様にお会いできることを祈《いの》っております。

そして皆様が素晴らしき本に巡《めぐ》り会えますように。

十本スイ

富士見ファンタジア文庫

金色《こんじき》の文字使《ワードマスター》い
—勇者四人《ゆうしやよにん》に巻《ま》き込《こ》まれたユニークチート—

平成26年5月25日　初版発行

著者——十本《とおもと》スイ

発行者——佐藤　忍

発行所——株式会社KADOKAWA
http://www.kadokawa.co.jp/

企画・編集——富士見書房
http://fujimishobo.jp
〒102-8177
東京都千代田区富士見2-13-3
電話　営業　03(3238)8702
　　　編集　03(3238)8585

印刷所——暁印刷
製本所——BBC

※定価はカバーに表示してあります。
落丁・乱丁本は、送料小社負担にて、お取り替えいたします。KADOKAWA読者係までご連絡ください。(古書店で購入したものについては、お取り替えできません)
電話 049-259-1100 (9：00～17：00／土日、祝日、年末年始を除く)
〒354-0041 埼玉県入間郡三芳町藤久保550-1

ISBN978-4-04-070114-1 C0193

第28回ファンタジア大賞
前期 募集中!
賞金 通期 大賞300万円
金賞 50万円 銀賞 30万円
各期 入選 10万円
※前期・後期の入選者の中から、最終選考によって大賞・金賞・銀賞を決定いたします
締め切り
前期 2014年8月末日
後期 2015年2月末日
※紙での受付は終了しています
完全オンラインでサクサク投稿!
丁寧な投稿ガイド付き
一次選考通過作品には10段階評価表をバックします
※画像はサンプルです
あなたの手腕《原稿》、期待してるわ
投稿も、速報もここから!
ファンタジア大賞WEBサイト http://www.fantasiataisho.com/
2015年4月末日締切 第3回富士見ラノベ文芸大賞も同サイトで募集中
「甘城ブリリアントパーク」 著：賀東招二 イラスト：なかじまゆか